Un cadeau du ciel...

FRANÇOISE HARDY

Un cadeau du ciel...

RÉCIT

Chapitre I

À de rares exceptions près, je ne me souviens pas de mes rêves avec précision. Il me semble que je fais toujours les mêmes. Il m'en reste une vague impression d'entre-deux où, tantôt avec des proches, tantôt avec des inconnus, j'affronte des situations plus ou moins désagréables. Des lieux partiellement familiers ou, à l'inverse, sans aucun élément identifiable, servent de toile de fond à un scénario brumeux et incohérent, mais relié d'une façon ou d'une autre aux problèmes que m'auront posés en permanence mes limites, frayeurs et déchirements personnels.

Chaque fois que quelqu'un se lance sur un ton exalté dans l'interminable narration d'un rêve marquant, je me surprends à penser presque aussitôt à autre chose. Ce sont généralement des histoires sans queue ni tête, avec une profusion de détails rocambolesques, aux antipodes de l'existence plus ou moins terne, rangée, banale, du rêveur concerné. Elles recèlent sans doute un ou plusieurs secrets majeurs sur lui, mais en général personne dans l'auditoire ne détient les clés psychanalytiques susceptibles d'apporter un début d'éclairage. Pour ma part, je préférerais me passer du puzzle onirique embrouillé de tel ou tel, et démasquer plus directement ce qu'il cache à tout le monde, ce qu'il se cache à lui-même en priorité.

*
* *

Il y a des années de cela, je voyais réguliè-rement un journaliste d'une trentaine d'années qui me donnait l'impression de m'apprécier. Je le considérais comme un ami au point de lui faire des confidences intimes. Lorsqu'il fut le témoin involontaire de moments douloureux et cruciaux de ma vie privée, il me manifesta une sollicitude qui me toucha et me donna l'impres-sion que notre amitié s'en trouvait renforcée. Un soir que je lui tournais le dos pour examiner un tableau accroché au mur, je fis trop brusquement volte-face et surpris dans ses yeux une haine qui me glaça. Il n'avait pas eu le temps de changer d'expression et comprit tout de suite qu'il s'était trahi. Ce fut du moins ma conclusion, puisqu'il s'éclipsa dès qu'il le put et ne me donna plus signe de vie. De mon côté, je me demandai si j'avais, sans m'en rendre compte, offensé, blessé, déçu, un homme apparemment si bien disposé à mon égard. Son hostilité était-elle ponctuelle ou, pour une raison qui m'échappait – par jalousie

8

ou par envie peut-être –, détestait-il ce que j'étais et représentais ? Son silence et le manque de subtilité que me valait ma jeunesse me firent opter pour la seconde hypothèse. Je ne cherchai pas à reprendre contact et ne le revis jamais.

L'idée que le sourire d'un prétendu ami soit une comédie jouée pour diverses raisons d'intérêt personnel, de convenance, parfois même de gentillesse, prit forme à cette occasion et me troubla maintes fois par la suite. Avec le temps, je réalisai que tout comme peut coexister chez la même personne la plus grande intelligence dans certains domaines avec la plus grande stupidité dans d'autres, de même l'amour et la haine coexistent en chacun de nous dans des proportions variables. Beaucoup de gens sont peu regardants et se saisissent du premier objet venu susceptible d'assouvir l'une ou l'autre de ces pulsions. Moins nombreux sont ceux dotés d'une sélectivité plus exigeante, plus difficile à satisfaire par conséquent.

*
* *

« Vous n'aurez pas ma haine », a écrit dans une lettre publique bouleversante le lumineux Antoine Leiris aux terroristes qui, lors des attentats du 13 novembre 2015 à Paris, avaient assassiné la femme de sa vie ainsi que 129 autres jeunes gens. Il faut probablement avoir reçu assez d'amour dans son enfance pour qu'une réaction aussi éclairée et éclairante soit possible. Car c'est le manque d'amour authentique durant cette délicate et décisive période qui crée le vide dans lequel la haine est susceptible de s'engouffrer. Le plus souvent, un filtre déformant s'interpose entre le monde extérieur et celui qui a subi des carences affectives trop importantes, faussant ainsi sa perception du réel, de lui-même et des rapports entre les deux. Il aura, par exemple, l'image d'un monde fatalement hostile et injuste dont il est la victime ou le justicier désignés.

*
* *

Qui n'a pas éprouvé, à un moment ou à un autre, l'envie d'étrangler un parent, un enfant, un conjoint, un ami, qu'il chérit et dont la perte lui causerait un inconsolable chagrin ? L'impatience due aux pressions toujours plus fortes de la vie moderne est telle que la moindre attitude décevante ou irritante de l'autre fait exploser la boule d'agressivité inconsciente tapie au fond de nous. Cela passe vite, mais revient tout aussi vite, sans que nous nous attardions sur la radicalité de nos revirements. Notre facilité à passer de l'amour, ou de ce que nous prenons pour tel, à la haine, devrait pourtant nous interpeller, quand bien même cette dernière ne va pas loin et permet un défoulement que d'aucuns jugent salutaire. De son côté, la spiritualité assure que l'énergie négative dirigée par un être humain contre un autre sous forme de pensées, de paroles ou d'actes, lui est renvoyée tôt ou tard à la façon d'un boomerang.

*
* *

Chacun sait que le mensonge est inhérent à la vie sociale. Pour contribuer à une bonne ambiance et l'entretenir, on met les formes, on évite les fausses notes telles que les critiques acerbes qui vous brûlent les lèvres, l'agressivité, la froideur, etc. On converse aussi gentiment que possible avec quelqu'un d'antipathique, on fait mine d'apprécier un autre que l'on juge médiocre, et ainsi de suite... Mais jusqu'où la comédie peut-elle aller ? À quel moment finit la civilité et quand commence la tromperie ?

Je mens difficilement et mon excès de franchise – autrement dit mes gaffes – m'est régulièrement reproché. Ce travers a même fini par faire un peu le vide autour de moi, mes relations n'appréciant guère – et comme je les comprends ! – les pavés que je prends parfois un malin plaisir à jeter dans la mare. Comme tout le monde, il arrive pourtant que je doive cacher mon jeu. Entre autres, je félicite des musiciens pour des mélodies d'une navrante pauvreté. Ils semblent en effet attacher une telle importance à mon avis que je crains presque de les pousser à de fatales extrémités ou de leur inspirer une rancune éternelle si je leur révèle tout le mal que je pense de leurs productions. Plus simplement, je ne veux pas les décourager. Dire la ou plutôt « ma » vérité les aurait-il aidés ? Leur aurais-je fait gagner du temps ? Jusqu'à quel point doit-on entretenir ou, au contraire, dissiper les illusions de quelqu'un ? Si peu de gens sont capables de voir leurs limites en face et de se remettre en question ! Et puis, qui est-on pour en juger et à quoi bon dire à quelqu'un ce qu'il ne veut ou ne peut pas entendre ? Surtout, comment être sûr que c'est l'autre qui a tout faux et pas soi-même ?

*
*　*

Deux rêves récurrents d'une grande banalité perturbent mes nuits. Fréquent chez les chanteurs, le premier me met en situation d'interpréter une chanson en direct alors que je ne l'ai pas répétée depuis des années et en ai oublié le texte autant que les repères mélodiques et rythmiques. Le second me ramène des décennies en arrière, quand mon mari et moi étions jeunes et beaux. L'attirance irrépressible qui m'a longtemps aimantée vers lui me submerge pareillement dans le rêve mais se heurte, comme cela m'avait trop souvent semblé être le cas dans la vie, à une indifférence et une distance qui me rendent très malheureuse.

La sortie des deux rêves me procure toujours un intense soulagement. Sauf récemment, quand, réveillée en sursaut du deuxième, je continuai de ressentir pendant quelques heures le trouble délicieux que provoque le désir exacerbé par juste ce qu'il faut de frustration. Comme il est étrange d'éprouver encore ce genre de sensation à un âge canonique et pour un homme tel qu'il était plus de trente ans auparavant, un homme devenu si différent de son apparence première et de la perception que j'en avais qu'il ne s'agit presque plus de la même personne ! Quelque chose en moi n'a-t-il jamais intégré ce que je prenais pour des rejets ? Ou suis-je moins détachée que je ne l'imagine, non de mon mari, mais de l'état amoureux et de l'élan formidable qu'il donne, quels qu'en soient les déchirements ?

Au fil du temps, j'ai peu à peu pris conscience de la subjectivité de mon interprétation des apparences et de la façon dont j'étais portée à déformer la réalité. Que voulait me montrer mon rêve ? La nostalgie que m'inspirait ma vie sentimentale passée ? Mon inaptitude à en dépasser les moments les plus douloureux ? Ne m'incitait-il pas plutôt à prendre conscience des effets désastreux de l'image négative de moi-même dans laquelle les circonstances de ma prime enfance m'avaient enfermée ? Avec une telle image, celle de quelqu'un qui n'est pas à la hauteur quoi qu'il fasse, de quelqu'un qui n'est pas désirable non plus, comment aurais-je pu attendre mieux du monde extérieur qu'une indifférence polie ? Si l'on ajoute à cela mon introversion, pas étonnant qu'à force de m'isoler ou de m'effacer devant les autres, plusieurs personnes m'aient crue autiste.

La survenue d'événements qui allaient *a contrario* de ma vision négative, réductrice et figée de la relation entre le monde extérieur et moi-même, aurait dû améliorer les choses... Mais non. Une sorte de paresse mentale m'empêchait de mettre en cause mon défaitisme têtu et borné : l'erreur de distribution était manifeste, tôt ou tard, la chance insolente dont je bénéficiais tournerait... Tôt ou tard, mon imposture éclaterait au grand jour...

Même et surtout quand la vie semble vous sourire, le pessimisme inné augmente l'inconfort et l'angoisse, accentue les comportements inappropriés tels que l'immobilisme ou la dévalorisation de soi, et rétrécit davantage encore le cercle vicieux que l'on prend pour un cocon protecteur alors qu'il vous étouffe à la façon d'un boa : lentement et sûrement.

Par bonheur, malgré les barrages ou à cause d'eux, la vie se débrouille toujours pour qu'un désir plus fort que tout s'empare de vous et vous oblige à sortir de vos gonds... À sortir du cercle vicieux... Un peu comme si elle vous jetait à l'eau pour que vous appreniez à nager.

Certains trouvent d'instinct les gestes qui sauvent... Mais quand on croit dur comme fer qu'on est de ceux qui se noient, alors on se noie. Si l'on s'accroche à quelqu'un, on le choisit si mal et on s'y prend si lourdement qu'on l'entraîne avec soi vers le fond. Dans ces conditions, sa réaction de rejet est inévitable. « Sauve-moi », supplie la créature éperdue en train de couler... « Tu pèses une tonne, s'impatiente le sauveur imaginaire qui n'a rien d'un champion olympique, lâche-moi, va-t'en ! »

Est-ce cela que mon rêve douloureux tente de me suggérer ? Et si je commence enfin à entrevoir ce qu'il cherchait en vain à me faire comprendre, va-t-il cesser de hanter mes nuits ?

*
*   *

L'un des principes que j'ai essayé de respecter de mon mieux consiste à ne pas faire aux autres ce que je n'aimerais pas qu'ils me fassent. Il va sans dire que mes transgressions ne se comptent plus, comme le récit précédent en témoigne et comme celui qui va suivre en sera un exemple de plus. Alors que je sais bien comme les rêves des autres peuvent être ennuyeux, je ne peux m'empêcher de continuer sur ma lancée et de rapporter un cauchemar récent, dont, une fois n'est pas coutume, j'ai tout gardé en mémoire.

Je suis enfermée dans une boîte blanche, une sorte de cercueil avec un couvercle en verre ou en plexiglas transparent. À l'image des chaussures confectionnées à prix d'or par les bottiers de luxe et qui font mal aux pieds parce qu'elles sont trop ajustées, autrement dit trop serrées, on dirait que la boîte a été fabriquée à mes exactes mesures, si j'en juge par l'immobilité absolue à laquelle elle me condamne. L'impossibilité de remuer un cil, de dire un mot, la difficulté à respirer me causent une souffrance et une angoisse indicibles.

Autant que je puisse en juger, il semblerait qu'autour de moi il n'y ait que des murs nus d'un blanc éclatant. Aucune fenêtre, aucune porte, aucun meuble visibles. Parfois passent des jeunes femmes très maquillées qui se ressemblent à faire peur. Leur visage est enduit du même fond de teint ocre. Leurs cheveux, raides, mi-longs et noir corbeau, ont été coupés et teints à l'identique. Le contraste avec leur blouse aussi immaculée que les murs est saisissant. Elles ne me prêtent aucune attention. J'étouffe. Je voudrais appeler au secours. Il faut qu'on s'occupe de moi, qu'on me libère, que quelqu'un s'aperçoive que le manque d'air va me tuer, et fasse de toute urgence le nécessaire... Mais ces créatures dont l'inexpressivité m'effraie ne tiennent aucun compte de ma présence et ne s'attardent guère. Exactement, réaliserai-je bien plus tard, comme mon mari me semblait se comporter quand je me mourais d'amour pour lui... Sauf

16

que là, je meurs de terreur et d'asphyxie. On m'a manifestement séquestrée et je suis victime d'un mystérieux complot. Certaines de mes relations subissent d'ailleurs le même calvaire que le mien. Comment en ai-je été informée ? Les conditions inimaginables de ma détention m'auraient-elles déstabilisée au point de me rendre paranoïaque et mythomane ?

Un événement inattendu me met sens dessus dessous. Dans le vide absolu où je me débats entre la vie et la mort, surgit soudain le cardiologue de mon mari. Il s'arrête quelques instants devant ma boîte et m'adresse son bon sourire habituel. La situation est intenable. Je n'arrive pas à lui faire comprendre que je cours un immense danger et que s'il n'intervient pas rapidement, une agonie atroce, déjà amorcée, aura vite raison de moi. Il est médecin, il devrait s'en rendre compte ! Mais non. Il repart comme il était venu. Pour la énième fois, de toutes les forces qui me restent, j'essaie de repousser le couvercle du carcan qui m'écrase, d'en écarter les bords… C'est peine perdue. Dans mon isolement, aggravé par un silence oppressant, les rares inconnus sourds et aveugles qui passent à portée de mes yeux me semblent autant des geôliers que des bourreaux, et ma terreur comme mon désespoir n'ont plus de bornes.

La lumière blanche régnant en permanence, j'ai perdu tout repère de temps. Il n'y a ni jour ni nuit et, alors qu'habituellement j'ai une pendule

17

dans la tête, il m'est devenu impossible d'évaluer la moindre durée. J'imagine que dans la situation insupportable où je me trouve, les secondes doivent sembler des heures, les heures des jours entiers... Je me souviens encore avec une grande netteté de la souffrance endurée et de l'angoisse de mort qui ne me lâche pas un instant...

Et puis voilà qu'au bout de plusieurs semaines ou, plus vraisemblablement, de quelques jours, un homme en blanc flanqué de l'une des étranges créatures évoquées m'annonce une bonne surprise imminente, à l'expresse condition que je sois sage. Dans ce contexte, être sage implique le renoncement définitif à la volonté de m'échapper et à l'idée saugrenue d'un enlèvement. Des choses de ce genre... L'espoir fou de retrouver une vie normale qui, en un éclair, m'avait traversé l'esprit, est brisé net. Prisonnière je suis, prisonnière je resterai. Quand on soulèvera enfin mon couvercle et que je me débattrai en vain pour sortir entièrement de ma boîte, on m'y maintiendra de force, en insistant sur la grâce immense qui m'est accordée de retrouver la parole. « Vous rendez-vous compte que vous allez pouvoir parler aux médecins qui vont bientôt venir vous voir ? » me dit-on sur un ton exalté sous-entendant que mon ingratitude serait inqualifiable si je n'éprouvais aucune reconnaissance et ne me montrais pas plus coopérative. De quels médecins s'agit-il ? Malgré la pointe de soulagement due au fait d'avoir respiré normalement pendant quelques secondes et émis quelques sons, je ne relève ni le mot « méde-cins » ni l'annonce de leur visite, je retiens seu-lement que je suis encore et toujours enfermée dans cette horrible boîte dans laquelle je me sens de plus en plus mal.

Tout se brouille à partir de là et je ne me souviens plus de rien, mais ce cauchemar restera l'un des pires de mon existence, car l'un des plus « réels », des plus vécus. À aucun moment je n'ai eu le sentiment qu'il s'agissait d'un mauvais rêve. Il me semble que l'angoisse qui s'y rattache reste enfouie quelque part en moi et ne demande qu'à ressurgir, au point que la moindre évoca-tion m'en a été impossible jusqu'à aujourd'hui. Sans doute parce que, aussi criante qu'elle soit, la connexion avec mon vécu m'aura longtemps échappé.

Chapitre II

C'est dans la chambre d'une structure hospitalière de réanimation réservée aux patients dans un état critique que je me réveille. Mon fils est là, tendre et malicieux. Nous nous tenons la main. Il m'annonce que son père est à Paris et vient me voir. La perspective de cette visite ne me sourit guère. Mon épuisement est indescriptible. Je respire et parle difficilement. J'en ignore les raisons. Rien ne m'a été rapporté encore et j'imagine vaguement sortir d'un évanouissement. On m'apprendra plus tard que pendant quelques semaines d'inconscience, agrémentées de plusieurs jours de coma, j'ai subi une opération de la hanche, une autre du coude, et qu'un œdème pulmonaire a nécessité la pose de drains pour évacuer le liquide dans mes poumons.

Mon mari arrive. Il porte de vilaines lunettes noires qui lui vont mal et lui donnent un aspect effrayant. Il ne dit pas grand-chose. Moi non plus. Agacée, je lui demande d'ôter ses horribles lunettes, mais ses paupières anormalement blêmes me font un effet pire encore. Après son départ, je tourmenterai notre fils pour qu'il amène son père à regagner au plus tôt ses pénates, loin de Paris, loin de moi. « Il me fait peur, je ne veux plus le voir », ne cesserai-je de lui seriner, sans me rendre compte de l'impasse dans laquelle je le mets. Il aura d'ailleurs la sagesse de ne pas intervenir de quelque façon que ce soit.

*
* *

Depuis deux-trois ans, ma qualité de vie se dégradait à vue d'œil et à la suite de l'enregistrement d'une émission de télévision dont l'animateur avait la grippe, je me sentais si mal que je m'étais fait hospitaliser, le temps d'établir si j'avais été ou non contaminée. Forte de m'être douchée normalement le premier jour, et parce que les ravages du temps et de la maladie ont décuplé ma réticence innée à m'exhiber dans mon plus simple appareil, je refusai le lendemain l'aide à ma toilette proposée par la charmante aide-soignante de service. Mal m'en prit. Dès que l'eau coula, je glissai et fis une chute dramatique. Je me souviens du choc de ma tête heurtant violemment le carrelage et de ma demande insistante aux brancardiers de faire en sorte qu'on n'incrimine pas l'aide-soignante. Elle n'était responsable de rien. Tout était de ma faute. Puis ç'avait été le black-out. Il allait durer trois semaines.

*

* *

Mon mari et notre fils partis, je commence à réaliser l'ampleur du désastre. Manifestement, je reviens de loin, mais ce n'est qu'au cours des mois qui suivront que je découvrirai peu à peu tout ce que mon corps a enduré. Pour l'heure, me voilà seule dans une chambre d'hôpital et livrée à de sombres pensées. Je suis flanquée d'une sonde urinaire et d'une « potence » grâce à laquelle, vingt-quatre heures sur vingt-quatre, on me perfuse toutes sortes de médications ainsi qu'un liquide nourricier, enrichi en vitamines et sels minéraux, mon poids étant descendu à trente-neuf kilos pendant mon immobilisation. À cause de l'épaule et du coude cassés, ma main et mon bras droits sont inutilisables et la fonte de mes muscles m'empêche de me lever, de tenir debout, de marcher... Comment surmonter tous ces nouveaux et effrayants handicaps ? La difficulté à respirer exacerbe une angoisse qui m'oppresse plus encore la nuit que le jour, au point que j'accepte pour la première fois de ma vie le recours aux anxiolytiques. Grâce au Lexomil et au Tranxène, je réussis à dormir et à oublier pendant quelques heures l'impression d'étouffer ainsi que celle d'être définitivement diminuée et de ne plus jamais retrouver un semblant de vie normale.

Autre raison de m'inquiéter : tout doit désormais se passer dans l'espace exigu du lit – les repas, mais aussi la toilette et, pis encore, les besoins. Au début, cette situation m'embarrasse tellement que je m'excuse platement auprès de chaque nouvelle aide-soignante de lui infliger un travail aussi ingrat. Mais la majorité d'entre elles, les Noires surtout, rient et me font valoir que tout le monde est pareil, qu'elles ont l'habitude et que je n'ai aucun souci à me faire. Peu à peu, leur gentillesse et leur décontraction m'apprivoisent et je me remets sans trop d'états d'âme entre leurs mains expertes. L'une d'elles, d'une cinquantaine d'années, est si débordante d'empathie, si douce aussi, que j'ai l'impression d'avoir une seconde maman et d'être redevenue un nourrisson.

Ne disposant que de ma main gauche alors que je suis droitière, je ne peux pas manger normalement. De plus, malgré le prix exorbitant des chambres de l'établissement privé où je me trouve, la nourriture est industrielle et assez mauvaise dans l'ensemble. J'ignorais que dans les hôpitaux et les cliniques, des règles fondées sur l'hygiène imposent de beaucoup cuire la viande et le poisson, ce qui les dessèche au point de les rendre immangeables. Moi qui depuis des décennies évitais les sucres rapides contre lesquels diverses informations m'avaient prévenue, je dois me rabattre sur des desserts lactés tout prêts. Le méritant hématologue-oncologue en charge du sujet récalcitrant que je suis attache une grande importance à mon poids et tient à ce que je grossisse. J'en ai autant envie que lui, mais m'ouvre de mes appréhensions à propos des sucres rapides. Les spécialistes assurent en effet qu'il suffirait de les supprimer pour affamer les cellules malignes, qui en sont friandes, et s'en débarrasser. « Le problème, rétorque-t-il, c'est que les cellules saines ont autant besoin de sucres rapides que celles qui sont malades. » Que ne m'a-t-il dit là ! Mes craintes s'envolent d'un seul coup ! Je me gave sans complexe de crèmes caramel, de cafés liégeois, de glaces à la mangue, de panna cotta et autres sucreries que je boudais depuis toujours, sans grand mérite d'ailleurs puisque, à l'exception des sablés écossais Shortbread, les douceurs m'attirent infiniment moins que l'onglet, le carpaccio, le steak tartare ou certains fromages… Au bout de quelques mois de ce changement radical de régime, j'aurai la satisfaction de peser enfin cinquante kilos, ce qui ne m'était plus arrivé depuis longtemps.

*
* *

Onze ans plus tôt, on m'a diagnostiqué un lymphome du MALT qui affecte les voies digestives. Après une chimio légère bien supportée, j'ai vécu plusieurs années sans problème majeur, avec comme seuls désagréments de multiples contrôles anxiogènes, tels que les TEP Scan qui nécessitent l'injection d'un liquide radioactif pendant une quinzaine de minutes, les scanners conventionnels, les échographies, les radios, ainsi que les inévitables et régulières prises de sang. Puis des symptômes tels que l'œdème, l'épuisement, les malaises vagaux liés à des problèmes digestifs de plus en plus pénibles, ont peu à peu rendu ma vie cauchemardesque. Dans les moments les plus difficiles, je priais Dieu et ses saints de faire en sorte que je meure rapidement, de préférence dans mon sommeil, si ce n'était pas trop demander.

Quand on m'apprend qu'après avoir tout tenté pendant mes trois semaines d'inconscience, les médecins en étaient arrivés à me croire irrémédiablement perdue, je réalise que je viens de passer à côté de la mort dont je rêvais. Dois-je le déplorer ou remercier le ciel – et les médecins ?

*
* *

Comme beaucoup de gens, je crois que le corps physique est le véhicule matériel indispensable à l'âme immatérielle pour s'incarner et évoluer. Une fois libérée du monde physique par la mort, l'âme retourne dans l'au-delà immatériel d'où elle vient, lestée du bagage spirituel qu'elle est censée avoir acquis.

Une vie humaine, ce n'est rien et c'est tout. Rien, parce qu'elle est trop courte et que plusieurs vies ne suffiraient pas à expérimenter et intégrer ce qui nous permettrait de grandir assez pour ne plus nous réincarner. Tout, parce que chaque existence est unique : quel que soit le milieu où nous atterrissons, il ne tient qu'à nous d'en faire quelque chose d'enrichissant pour les autres et pour soi, si nous savons tirer les leçons de l'enseignement prodigué par ce formidable instructeur qu'est la vie.

Chaque automne, la chute des feuilles m'évoque les êtres humains fauchés à tout instant par la mort. J'imagine qu'à l'échelle cosmique, ces innombrables disparitions font le même effet aux entités de l'au-delà et, osons le mot, à « Dieu », que les feuilles d'automne aux Terriens : elles tombent mais repousseront au printemps suivant, ni tout à fait les mêmes ni tout à fait autres.

*.
* *

Mourir à soixante et onze ans n'a rien de prématuré. À cet âge-là, tel un vieux bateau ou une vieille voiture, le corps lâche de partout. Les ratés inquiétants auxquels le cerveau échappe rarement se multiplient, et il est clair que le temps imparti par la programmation génétique touche à sa fin.

Il me semblait avoir donné le meilleur de moi-même en chanson comme en astrologie, domaine où j'aurais pourtant tellement à apprendre encore. Je ne voyais pas ce que je pouvais faire de plus ou d'autre. D'une certaine façon, l'aggravation de ma maladie arrivait au bon moment. Mon mari avait refait sa vie avec une compagne d'un exceptionnel dévouement, mon fils continuait de creuser son sillon avec autant d'intelligence que de talent. Même si mon cœur de maman ne percevait que trop sa vulnérabilité et se serrait à l'idée que mon départ s'ajoute à ses autres souffrances, la richesse de sa sensibilité me rassurait quant à la suite de son parcours. Oui, décidément, le moment semblait venu pour moi de partir.

*
* *

Les troublantes révélations sur ce par quoi je viens de passer me font vite penser qu'il doit y avoir une raison pour que de là-haut on m'accorde un sursis, alors que je suis à bout de course. Il faut toujours que je trouve une cause surnaturelle aux choses apparemment miraculeuses, comme si je ne concevais pas qu'elles puissent arriver sans raison ou pour des raisons logiques, sans rapport avec un au-delà dont rien ne prouve la réalité. Ma question existentielle à propos d'un sursis qui, pour l'instant, m'a tout l'air d'un cadeau empoisonné, restera-t-elle définitivement en suspens ou les événements se chargeront-ils de m'apporter un début de réponse ?

*
* *

Dans la première structure hospitalière qui m'accueille, j'ai affaire à une jeune infirmière originaire d'Afrique noire. Sa forte personnalité, son intelligence, son élégance, sa beauté et la noblesse qui émane d'elle me font une forte impression. Malgré son manque de temps et mon manque de souffle, nous engageons la conversation. F., dont, à sa grande hilarité, j'écorcherai longtemps le prénom, s'intéresse de près à la phytothérapie et projette de développer en Côte d'Ivoire une structure de soins par les plantes. Elle s'enthousiasme pour les possibilités qu'offre la foisonnante végétation ivoirienne. Je lui parle de mon médecin généraliste, un grand phytothérapeute dont l'audience est plus vaste à l'étranger que dans son propre pays. Grâce à ses diagnostics très pointus et aux remèdes qu'il prescrit, il a contribué à prolonger la vie de plusieurs de ses patients cancéreux. Quelle n'est pas ma surprise de le voir arriver le lendemain !

On m'a informée de la nécessité de m'administrer une douzaine de chimios. *Quid* si ça ne marche pas ? J'aurai échappé à la mort pour connaître un enfer pire que ceux qui sont derrière moi et que celui dans lequel je me trouve actuellement ? Au cas où ce traitement lourd échouerait, J. C. m'aiderait-il à abréger le calvaire qui s'ensuivrait ? Cet homme plein de bonté m'explique comme il est compliqué pour un médecin en exercice de satisfaire ce genre de demande. Les risques encourus sont trop grands. En France, malgré les promesses des politiciens, nous n'avons pas le même droit qu'en Suisse, en Belgique ou aux Pays-Bas à l'euthanasie pure et simple quand les souffrances d'une maladie incurable sont devenues insupportables.

L'arrivée à point nommé de ma belle Malienne interrompt mes ruminations au sujet du probable calvaire qui m'attend et de la lâcheté des dirigeants français. La présenter à J. C. m'est une grande joie. Peut-être sera-t-il en mesure de l'aider pour son projet, peut-être leur rencontre débouchera-t-elle sur une collaboration fructueuse ? D'un seul coup, j'entrevois en quoi je peux encore être utile et ce début de réponse à ma question métaphysique me calme momentanément.

*
* *

Être utile. Grande question. J'admire les artistes qui participent à des associations humanitaires, vont dans les hôpitaux ou au fin fond de l'Afrique pour aider des enfants et des malades. Les militants des grandes causes m'impressionnent tout autant. L'abnégation, la modestie et l'intelligence avec lesquelles les uns et les autres montent au créneau pour défendre ce en quoi ils croient et mieux mobiliser le plus grand nombre de personnes, me touchent, mais me renvoient aussi à mon inertie.

Je me suis souvent demandé comment toutes ces personnalités encore plus débordées que moi par leurs obligations professionnelles et privées trouvaient le temps de se consacrer à l'humanitaire. Cela me rappelle cette femme qui avait une dizaine d'enfants à elle et partait sans cesse à l'autre bout du monde aider les enfants des autres. Chacun fait comme il veut, comme il peut, comme il sent. Personnellement, avec un enfant dont je m'occupais autant que possible, une maison à faire tourner, des activités professionnelles aussi accaparantes que stressantes, une vie sentimentale parfois difficile, je n'avais pas un instant à moi et cela m'épuisait – comme le prouvait mon endormissement instantané dès que je soufflais une minute. Mon emploi du temps aussi chargé que celui de la majorité des femmes réglait la question d'un engagement éventuel. Je n'avais tout simplement pas la disponibilité requise. C'était bien commode, car cela m'évitait de me poser des questions sur une démarche susceptible de m'entraîner trop loin.

Un engagement doit venir de soi, d'une envie personnelle profonde, et non de pressions extérieures. Il m'est arrivé dans ma jeunesse de répondre positivement à quelques sollicitations. Chanter à Fresnes pour de jeunes prisonniers, par exemple, ou – bien plus tard – parler avec des jeunes femmes incarcérées à Fleury-Mérogis, m'avait donné l'impression d'un échange positif. Mais peut-être n'était-ce qu'une illusion ?

*
* *

Au début des années 1960, je fis la connaissance d'une adolescente gravement handicapée dont j'étais la chanteuse préférée. Son rêve de me rencontrer avait poussé sa mère à contacter la mienne, et c'est ainsi que je lui rendis plusieurs fois visite. En sa présence, j'essayais tant bien que mal d'être aussi décontractée et attentionnée que m'y poussait la compassion, mais le décalage entre ses sentiments passionnés et les miens me mettait horriblement mal à l'aise. Et comment ne pas être perturbée par son pauvre corps tordu et par sa difficulté à parler qui lui déformait le visage ? Comment ne pas être embarrassée par son envie de me toucher, de m'embrasser, par son regard débordant d'un amour que, malgré toute ma bonne volonté, je ne pouvais pas lui rendre ? J'y voyais le besoin désespéré de compenser ses terribles souffrances par une idéalisation dont je me sentais et étais, hélas, beaucoup trop éloignée. L'auréole de la célébrité aidant, j'incarnais sans doute à ses yeux ce qu'elle aurait aimé être et ne serait jamais… Mais je n'avais que dix-neuf ans et aller la voir, flanquée de ma maîtresse femme de mère, représentait un effort dont, pourquoi le cacher, j'aurais préféré me passer. Face à cette malheureuse jeune fille, mon malaise était aussi grand que mon soulagement en la quittant. À cette époque, je ne réalisais pas – ou alors très confusément – que j'avais mis le doigt dans un engrenage. Accepter une première visite m'engageait tacitement pour beaucoup d'autres, alors que je me découvrais une inaptitude à feindre qui se confirmerait avec le temps. J'étais incapable de rendre des sourires, d'avoir l'air enjoué, de donner un peu d'amour, si je ne ressentais rien de tout cela.

J'ignore ce que cette jeune fille est devenue et ne me rappelle pas comment ni pourquoi mes visites ont pris fin. Mes innombrables obligations et voyages professionnels durent mettre un terme allant apparemment de soi à cette situation. Il n'en restait pas moins que j'avais fait quelques apparitions et pfuit, plus rien. Le tourbillon incessant qui m'emportait à cette époque m'évita d'y penser, mais aujourd'hui, je n'ose imaginer le vide que la légèreté de mon comportement creusa dans cette existence désolée avec les interrogations douloureuses et le chagrin qui s'ensuivirent sans doute.

À l'évocation de ce souvenir culpabilisant, j'ai l'espoir que cette âme pure aura trouvé d'autres bonheurs, plus épanouissants que celui, si factice, d'apercevoir trois fois dans l'année sa chanteuse préférée, ou que la vie lui aura fait le cadeau d'abréger en douceur son martyre. Dans *La Pitié dangereuse*, l'immense écrivain et grand humaniste Stefan Zweig développe avec une infinie subtilité comment céder à certains élans compassionnels peut faire plus de mal que de bien. Mais trouver le juste milieu entre la voix du cœur et celle de la raison me semble décidément mission impossible.

Chapitre III

La jolie brune, mère de quatre enfants qui, d'une main de maître, avec beaucoup de dynamisme, de chaleur humaine et de bonne humeur, dirige la première unité de soins où l'on m'a transportée, fait remplacer chaque nuit le personnel soignant de jour par des jeunes gens qui préparent le concours d'infirmier. Ils ont renoncé à la médecine à cause de l'extrême difficulté d'études interminables et d'examens où les recalés sont nombreux. Attendre des années pour gagner leur vie s'avère de toute façon au-dessus de leurs moyens. Ils sont impressionnants de réalisme et de sérieux.

De plus en plus gênée par la sorte de patch que l'on m'a collé à la base du cou et sous lequel se trouvent les tubulures par lesquelles on me perfuse, j'appelle l'un d'eux. J'ai déjà dérangé ce jeune homme pour la même raison et il me fusille du regard : « Si vous continuez d'arracher votre pansement, explose-t-il, cela aura des conséquences très graves. C'est irresponsable de votre part ! » On m'avait prévenue de la nécessité absolue de laisser ce pansement en place et je ne suis pas folle au point de transgresser la consigne au péril d'une vie que j'ai failli perdre et qui ne tient qu'à un fil ! Mais il ne me croit pas quand je lui assure que si j'ai touché à quelque chose, c'était forcément pendant mon sommeil.

*
* *

À cause de mon épuisement et de la nourriture peu appétissante, je ne touche pas à la plupart des plats proposés. Un autre étudiant infirmier me fait à son tour la leçon sur un ton peu amène. Il cherche à me convaincre de mon inconséquence et conclut que si je ne mange pas, je ne suis plus qu'un grand sac vide, totalement inutile. Est-ce là mon ambition ? Pris au pied de la lettre, son discours est blessant, et son apparente dureté m'ébranle sur le moment, mais je comprends vite qu'il essaie juste de m'aider et pense que la meilleure façon d'y parvenir est de me bousculer. Sans doute a-t-il raison... Peut-être me croit-il anorexique ? Il n'imagine pas qu'en temps normal, le grand sac vide se damnerait pour une côte de bœuf saignante arrosée d'un bon bordeaux. C'est d'ailleurs un paradoxe incroyable : les malades ont besoin de s'alimenter pour ne pas s'affaiblir davantage, et l'hôpital leur donne une nourriture industrielle immangeable ! Sans parler des états et des médications qui coupent radicalement l'appétit.

Ce n'est pas l'un des étudiants habituels, mais une jeune femme qui entre un soir dans ma chambre. Sa beauté est si saisissante que je crois voir une apparition. Qu'elle soit celle d'un paysage, d'une fleur, d'une musique, d'un visage ou de quoi que ce soit d'autre, la beauté me fascine et je suis donc littéralement fascinée par cette ravissante personne aux yeux clairs, au teint de pêche, aux traits parfaits. Cerise sur le gâteau, elle me parle avec une douceur et un sourire angéliques. Un peu plus tard, pour je ne sais plus quelle raison en rapport avec ma dépendance totale, j'active la sonnette d'appel. La crainte de déranger ou d'importuner est si forte chez moi que lorsque je me résous à courir ce risque, c'est vraiment parce que je ne peux pas faire autrement. Mais voilà qu'au lieu de l'ange attendu débarque une furie. J'ai droit à une longue diatribe d'où il ressort que je ne suis pas sa seule patiente, qu'elle a autre chose à faire, que j'abuse de ma position, et plusieurs accusations de ce genre... Ma stupéfaction est totale. Quand mon procureur semble à bout de souffle et de reproches, je prends la parole pour lui poser la question qui me brûle les lèvres : « Pourquoi donc êtes-vous infirmière, un métier difficile qui implique des trésors de patience et d'empathie, alors que ça n'a pas l'air d'être votre fort ? » C'est à son tour d'être stupéfaite. Elle se radoucit et, comme si le surprenant éclat qui me l'a montrée sous un jour inquiétant n'avait jamais eu lieu, nous avons une petite conversation détendue dont j'ai tout oublié.

Elle a dû me dire deux mots sur son mari, un homme d'affaires je crois, car comment saurais-je que c'est lui que j'entends s'activer bruyamment dans la cuisine, séparée de ma chambre par une baie vitrée qu'un store vénitien recouvre ? J'aimerais voir à quoi il ressemble, mais les interstices entre les lames du store sont trop minces, et je devine seulement la silhouette trapue d'un homme entre deux âges. Que fait-il là à une heure aussi tardive ? Des questions sans réponse se bousculent dans ma tête fatiguée et je finis par m'endormir.

Une petite lumière à l'autre bout de ma chambre et un bruit de papier froissé me tirent d'un demi-sommeil. J'aperçois l'étrange créature de rêve – ou de cauchemar – qui s'affaire dans un coin en prenant garde à ne pas faire de bruit. Après l'avoir observée un moment, je lui demande ce qui se passe. « Je prépare votre piqûre », me répond-elle. Il est autour de 3 heures du matin et on ne m'a encore jamais fait de piqûre à cette heure indue. Elle invoque les horaires des laboratoires et part dans des explications que j'ai peine à suivre. Depuis la veille au soir, je me la représente en héroïne mystérieuse d'un roman qui parlerait d'amours impossibles sur fond d'intrigue policière. Dommage que je sois incapable d'écrire ce genre de chose ! Pendant qu'elle vide la seringue, j'imagine qu'elle m'injecte du penthotal ou un soporifique ou encore du poison, pour d'inavouables raisons.

Son départ en vacances est prévu le lendemain et je n'aurai plus l'occasion de la voir. Pour satisfaire ma curiosité à son sujet, j'interroge tour à tour les deux étudiants de garde. Elle n'a pas pu les laisser indifférents, ils ont forcément fantasmé sur elle... À mon grand étonnement, leurs réponses succinctes et leur mine renfrognée suggèrent non seulement qu'ils sont insensibles à son charme, mais qu'ils tiennent la dame en piètre estime. Ces jeunes gens ont-ils détecté chez elle les fausses notes dont je n'ai eu qu'un aperçu ? Son âme manquerait-elle de la luminosité nécessaire pour éclairer une apparence qui, si belle soit-elle, ne serait qu'une coquille vide ? La vraie beauté vient de l'intérieur, c'est bien connu.

*
* *

Indissociable de l'harmonie, la beauté est partout si l'on y est sensibilisé et si l'on ouvre les yeux. J'aime l'idée qu'elle serait l'expression du divin dont une étincelle se trouve en chacun de nous et qui renvoie au grand Tout auquel notre âme retournerait quand notre corps physique, soumis aux lois inexorables de la matière, sera définitivement hors d'usage. L'expression « rendre l'âme » m'enchante : le corps redevient poussière, autrement dit, en disparaissant dans la nature, il « rend » l'âme au monde d'où elle vient. Il lui rend sa liberté.

Les raisons de l'incarnation sont l'un des grands mystères sur lesquels, de tout temps, les êtres humains se sont interrogés. Les résultats douteux de leurs élucubrations sur cet inépuisable sujet de réflexion n'auront cessé de les diviser et de leur faire commettre les pires atrocités. Comme c'est étrange que tant d'individus aient manqué du plus élémentaire bon sens au point de prendre pour argent comptant ce que des textes soi-disant sacrés et des autorités religieuses rarement équilibrées, rarement désintéressées, toujours faillibles – y compris le pape –, préconisaient. Oui, il est décidément étrange qu'ils aient été, soient encore, si nombreux à sacrifier leur vie autant que celle des autres au nom de croyances aberrantes dont ils ne réalisent pas qu'elles n'auraient pas été les leurs s'ils étaient nés dans un environnement différent.

Dieu merci, c'est le cas de le dire, il n'y a plus beaucoup de fanatiques dans les sociétés occidentales, tout juste quelques catholiques intégristes, prêts à manifester contre le mariage homosexuel, mais pas à trucider ceux qui pensent autrement qu'eux. Les rêveurs et ceux qui cherchent un sens à la vie trouvent aux questions existentielles qu'ils se posent des semblants de réponse à leur convenance. De leur côté, les durs à cuire, les sceptiques, les sûrs d'eux, refusent d'envisager que la vie puisse avoir un sens et qualifient une fois pour toutes de foutaises l'idée de l'existence de Dieu et ce qui va avec. Les uns comme les autres croient être dans le vrai, alors qu'ils ignorent le plus souvent de quoi ils parlent. Inconscients de la superficialité, de l'incohérence, du simplisme, avec lesquels ils traitent un sujet essentiel dont ils ne soupçonnent pas l'extrême complexité, ils se satisfont des mauvaises réponses qu'ils apportent à de mauvaises questions en se figurant être les seuls à détenir la vérité !

Une amie musulmane et moi sommes tombées d'accord sur cette évidence : croire ou non en Dieu, être de telle ou telle religion est secondaire, seul le comportement importe. Comment les intégristes de tout bord ne comprennent-ils pas qu'un athée qui se comporte avec dignité, intégrité, respect de lui-même et des autres, respect de la vie, ouverture d'esprit et de cœur, est infiniment plus proche de Dieu qu'un croyant intolérant et sanguinaire dont les actes transgressent les lois dites divines qu'il détourne en prétendant leur obéir ?

*
* *

Pendant un an, j'ai écrit des articles pour un grand quotidien de Suisse romande, *Le Matin*. Le rédacteur en chef m'offrait la dernière page du numéro dominical pour que j'y parle d'astrologie. C'était une occasion unique, car il me laissait une liberté totale. Je m'impliquai au maximum dans ce travail avec l'espoir de favoriser chez les lecteurs intéressés une perception plus intelligente, plus réaliste, de l'astrologie.

L'un des journalistes du *Matin* connaissait mon intérêt pour les *Dialogues avec l'Ange* rapportés par Gitta Mallasz. Il m'envoya un enregistrement d'une communication entre un Maître spirituel non incarné, Pastor, et un petit groupe suisse, via un médium, une jeune femme qui avait pris le pseudonyme d'Omnia. Il y était dit, entre autres, qu'il importait davantage de travailler sur le discernement que sur l'amour. La justesse de cette injonction me frappa comme une évidence qui ne m'était pas apparue jusque-là, conditionnée que j'étais par le catholicisme, qui met l'amour au premier plan et commet l'erreur d'associer amour et devoir, des notions incompatibles en ce que, contrairement à la compassion, l'amour ne se commande pas.

Je cherchai à avoir d'autres enregistrements ainsi que des transcriptions imprimées du plus grand nombre possible de communications de Pastor. C'est ainsi que j'entrai en contact avec D., une disciple fervente de ce Maître. De fil en aiguille, nous finîmes par nous rencontrer.

D. vint à Paris, et quand la télévision suisse m'invitait à Genève elle allait me chercher à la gare et me tenait compagnie pendant mon séjour.

Je ne me lie pas facilement. Mes amitiés se sont rarement faites sur un coup de cœur, mais très progressivement, en douceur, comme tout apprivoisement. Ce sont souvent des circonstances de nature professionnelle qui, grâce aux échanges suscités, ont été déterminantes. Il en fut ainsi avec D. De mon fait, je crois, car elle est plus rapide que moi. Plus patiente aussi.

*
* *

J'ai eu la chance d'habiter avenue Foch, à Paris, pendant une douzaine d'années. Le cosmopolitisme qui régnait dans mon immeuble me faisait rêver. On y croisait des Saoudiens, des Japonais, des Chinois, des Libanais, des Russes, le régisseur était espagnol et mon vigile préféré d'origine marocaine. Lorsque mon mari vint visiter l'appartement bradé que j'avais déniché grâce à une annonce, il fut frappé par le gigantisme du hall, dont la moquette donnait de sérieux signes de fatigue. Son remplacement coûtera une fortune aux copropriétaires, remarqua-t-il.

Un matin où j'étais allée chercher le courrier déposé sur la console du vigile, je m'aperçus que j'avais oublié de prendre mes lettres à expédier pour qu'il les remette au facteur. Dans la précipitation due à ce petit contretemps, je courus dans le hall et ne vis pas le fil de l'aspirateur qu'utilisait un employé zélé. Je me pris les pieds dedans et fis un vol plané. Résultat : poignet gauche et coude droit fracturés. Je me rendis compte ainsi qu'il m'était impossible de me lever d'un siège bas ou même d'une simple chaise sans l'aide de mes deux mains, rendues inutilisables par ma chute. Mon hospitalisation dura une semaine et à mon retour chez moi, D. s'était arrangée pour venir m'aider. Cela renforça notre lien.

Par la suite, nous prîmes l'habitude de nous téléphoner régulièrement. Quand les symptômes de mon lymphome empirèrent, il y eut des moments où ma faiblesse était telle que j'arrivais à peine à parler. Si D. m'avait au bout du fil, elle employait sa phénoménale énergie à me remonter le moral. Elle se targuerait un peu plus tard d'avoir un don de « clairvoyance » et m'avait étonnée dans un passé récent en me faisant une lecture du Tarot de Marseille annonciatrice d'un déménagement futur, alors que j'imaginais finir ma vie là où j'étais si heureuse d'habiter. Mais à force de l'entendre m'assurer que j'allais vers un mieux alors que je me sentais de plus en plus mal, je pris son optimisme forcené pour une sorte d'aveuglement devant la dure réalité des faits. Cela me réconfortait pourtant qu'elle me parle de guérison, y compris et surtout dans les pires moments. À chaque nouvelle aggravation, je me surprenais en effet à espérer que son Tarot de Marseille continue d'indiquer que, si improbable que cela paraisse, je serais un jour débarrassée de ma maladie.

*
* *

Peu après les trois semaines où mes proches s'étaient attendus chaque matin à apprendre mon décès, je somnole dans ma chambre d'hôpital. En ouvrant les yeux, je découvre une belle femme qui me sourit de toutes ses dents et dont, l'espace d'une seconde, je me demande qui elle peut bien être. Et puis je reconnais D., plus grande, plus pimpante, plus élégante que dans mon souvenir. Elle ne démord pas de son idée fixe. Je vais m'en sortir. Elle en est certaine. Malgré mon besoin d'être rassurée, je crains fort que le recours obstiné à la méthode Coué soit désormais voué à l'échec. Loin de se démonter devant mon air dubitatif, D. me recommande la patience et m'affirme avec force que j'irai beaucoup mieux aux alentours de la fin de l'année.

Contre toute attente, c'est bel et bien ce qui arrivera, malgré une énième chute en novembre où je me casserai le poignet droit et toucherai à nouveau le fond, dévastée par l'impression de revenir au point de départ du chemin de croix commencé neuf mois plus tôt.

De révélation en révélation, je finis par apprendre qu'au bout de mes trois semaines entre la vie et la mort, l'hématologue a téléphoné à mon fils Thomas pour l'informer qu'on ne pouvait plus rien pour moi et qu'il devait demander à son père de revenir à Paris aussi vite que possible.

Les hauts et les bas imposés, bien malgré moi, à mon fils ont dû beaucoup l'éprouver, mais imaginer ce qu'il a ressenti en apprenant l'imminence de ma disparition me bouleverse. Il vit une passe difficile sur tous les plans et n'avait pas besoin en plus d'un tel choc émotionnel ! Quand je m'ouvre de ma consternation à propos de tout ce que je lui ai infligé, il réagit avec sa délicatesse habituelle. Il est venu chaque jour me voir à l'hôpital, me dit-il. Il me tenait la main et me lisait des textes de Georges Brassens. Parfois j'ouvrais les yeux et un tel courant d'amour passait alors entre nous qu'il se sentait beaucoup mieux en repartant.

Esprit d'escalier oblige, ce n'est que très progressivement qu'une question majeure me vient à l'esprit : si les quelques médecins qui s'étaient donné tant de mal pour me tirer d'affaire – l'oncologue, le pneumologue, les chirurgiens, entre autres – en étaient arrivés à déclarer forfait à l'unanimité, pourquoi et comment étais-je finalement sortie de l'antichambre de la mort ?

D., mon amie suisse, a un niveau de spiritualité très élevé. Tout comme Léna, mon amie brésilienne. Durant mes trois semaines critiques, l'une comme l'autre ont alerté quelques amis d'un niveau analogue au leur et ils ont prié intensivement, ensemble ou chacun de leur côté, pour que je m'en sorte. J'ai beau me casser la tête, je ne vois pas d'autre explication au miracle de ma résurrection. Je ne doute pas du pouvoir de la prière quand elle est faite par des personnes dotées d'une fréquence vibratoire élevée qui leur facilite une concentration totale. Découvrir ce que je dois à ce pouvoir m'émerveille et me trouble pourtant.

Mon hématologue-oncologue est un homme peu expansif qui juge sans doute superflu de m'informer de mes multiples péripéties médicales, d'autant plus qu'il court après le temps, comme en témoignent ses traits tirés. Naïvement, je lui fais part de mon étonnement devant le pouvoir salvateur de la prière. « Il n'y a pas eu que les prières, lâche-t-il. Pendant vos trois semaines d'inconscience et de coma, j'avais renoncé à vous administrer les deux chimiothérapies que nécessitait votre lymphome. Mais vous étiez dans un tel état de faiblesse que cela vous aurait tuée. Alors, quand il a été établi qu'il n'y avait plus aucun espoir, j'ai pris la décision, avec l'assentiment de votre fils, de vous injecter ce traitement lourd. »

« Tu comprends, maman, je savais bien que tu rêvais de mourir dans ton sommeil, mais quand ton médecin m'a fait valoir que si le traitement marchait, il était possible que tu ailles enfin mieux, je ne pouvais pas dire non », me rapporte Thomas en s'excusant presque. Comme s'il devait se justifier ! Peu après, mon taciturne hématologue me met les larmes aux yeux et du baume dans le cœur quand, lors de l'une de ses brèves visites dans ma chambre, il me dit subitement : « Votre garçon est formidable. Vous n'imaginez pas comme il nous a aidés. »

Chapitre IV

Longtemps, j'ai gardé dans un coin de ma tête l'idée réconfortante que la morphine supprimait comme par miracle la souffrance physique. Et puis mon amie Marie-Claire, qui, à quarante ans et quelques, avait renoncé à son activité d'avocate pour entreprendre des études de médecine et se spécialiser en psychiatrie, eut un cancer du pancréas. Considérant qu'en l'occurrence la chimio serait une forme d'acharnement thérapeutique, elle la refusa et fut emportée rapidement. Elle avait également refusé la morphine, qu'elle prétendait ne pas supporter, et je n'ai jamais su à quoi ses médecins recoururent pour qu'elle parte en souffrant le moins possible. Toujours est-il que depuis lors, la morphine ne m'inspire plus autant confiance.

Réalisant peu à peu la quantité phénoménale de produits chimiques divers et variés, aussi puissants les uns que les autres, que les médecins continuent de me mettre dans le corps, j'impute soit à ce mélange global effarant, soit à la seule morphine, la cause probable de troubles psychologiques inhabituels ou aggravés. Les petits problèmes de mémoire, fréquents à partir d'un certain âge, prennent des proportions alarmantes. Je commence une phrase et n'arrive pas à la terminer, ayant presque instantanément perdu le fil de ma pensée. Le nom de quelqu'un que je connais bien pourtant m'échappe parfois pendant plusieurs jours, et ainsi de suite... Les crises de panique auxquelles je deviens sujette la nuit m'inquiètent tout autant. Je me surprends à appeler ma mère dans une semi-inconscience, et l'on me rapporte que j'ai également appelé mon père et ma sœur – sans doute dans un état plus second encore. Bref, je perds la tête.

Du lit où je suis clouée dans ma nouvelle chambre à l'étage réservé aux malades cancéreux, je ne vois pas la porte ni les petits cadrans lumineux connectés à la sonnette qui me sert à appeler l'infirmière ou l'aide-soignante de service. Ce n'était pas le cas dans l'unité de soins précédente, où, de surcroît, ma chambre était davantage ouverte sur l'extérieur.

Un soir où j'ai besoin que l'on vienne me changer – le personnel soignant appelle ça plaisamment la « petite toilette » –, j'appuie à plusieurs reprises sur la sonnette. En vain. Personne ne vient et la panique me gagne. Je finis par appeler au secours de toutes mes faibles forces décuplées par l'affolement. Cela dure une vingtaine de minutes. Finalement, un infirmier apparaît : « Qu'est-ce qui vous arrive, Madame ? » s'enquiert-il poliment. Une crise de claustrophobie, Monsieur, me dis-je à moi-même en me demandant si je n'étais pas claustrophobe depuis toujours sans le savoir. Je suis bien obligée de constater que la sensation d'être à la fois enfermée et immobilisée, sans aucune possibilité de communication, me déstabilise au dernier degré.

La peur qu'un tel incident ne se reproduise me pousse à demander de laisser en permanence la porte de ma chambre ouverte. Ce n'est qu'à ce prix que je retrouverai un minimum de calme. Peu importe si j'entends davantage les gémissements et appels incessants du malade alité dans une chambre voisine. Si éprouvant que cela soit, c'est plus vivant que le silence mortel de mon isolement forcé.

À tort ou à raison, je mets aussi sur le compte du bouc émissaire commode qu'est devenue à mes yeux la morphine, la peur irrationnelle inspirée par mon mari la première fois qu'il est venu me voir, peu après mon retour à la vie.

Je n'aurais jamais pu être médecin, pour de multiples raisons, en particulier à cause de mon naturel hésitant et du temps que je perds à peser le pour et le contre. Devoir choisir entre les inconvénients et les avantages d'un traitement ne doit pas être la moindre des difficultés inhérentes à une profession qui met en permanence devant de lourdes responsabilités. Dans de nombreux cas, heureusement, le choix s'impose de lui-même, mais comment fait-on quand les inconvénients risquent de l'emporter sur les avantages ? Sans parler des impondérables en rapport avec les réactions si différentes d'un malade à l'autre à un même traitement. La certitude de mon hématologue que la chimiothérapie me tuerait, puis sa décision, qui m'a sauvée, de me l'administrer quand la situation était devenue désespérée, illustrent bien les difficultés inhérentes à chaque cas.

Vingt-quatre heures sur vingt-quatre, on me perfuse avec un liquide nutritionnel sur-vitaminé et sur-minéralisé auquel j'attribue l'amélioration visible de ma peau, mes ongles, mes cheveux, ainsi que ma prise de poids… Quand le médecin jugera bon de diminuer puis d'arrêter cette perfusion, je redouterai d'en perdre les bénéfices, jusqu'à ce qu'il m'apprenne que l'alimentation par sonde ouvre la porte aux infections. Quelle chance que je ne l'aie pas su plus tôt et comme il vaut mieux, finalement, ne pas tout dire aux patients anxieux !

*
* *

Un kinésithérapeute est chargé de m'aider à retrouver un peu de la mobilité de mon bras droit, que les fractures de l'épaule et du coude bloquent douloureusement. Il doit aussi s'occuper de mes quadriceps, qui ont tellement fondu que je ne peux plus marcher.

P. est un thérapeute exceptionnel doté de beaucoup de patience, de ténacité, de fermeté, d'empathie aussi. C'est une main de fer dans un gant de velours, avec le charme et l'humour en prime. Ma confiance en lui est totale, mais je suis si fatiguée que l'accablement me saisit dès qu'il pointe le bout de son nez. Les exercices qu'il me fait pratiquer et dont la nécessité ne se discute pas, représentent pour moi un véritable tour de force, sur le plan tant physique que mental. Il le sait, il a l'habitude, et maintient le cap avec le sourire.

Bien que P. soit costaud et me porte pour me poser sur mes pieds et m'aider à m'y maintenir, l'appréhension que j'éprouve à sortir de mon lit est chaque fois aussi forte et le restera pendant des semaines.

La première fois que P. réussit à me mettre debout, il tient absolument à ce que mon fils en soit témoin. Thomas m'a en effet rendu visite ce jour-là et attend dans le couloir la fin de ma séance. Mais je ne veux à aucun prix qu'il me voie tordue par l'effort surhumain exigé de moi, et affublée de la vilaine camisole hospitalière qui ne cache rien de mes difformités. P. tient bon et prend pour des larmes de joie celles qui échappent à Thomas. Hier, j'étais donnée pour morte, aujourd'hui me voilà debout ou presque. N'est-ce pas miraculeux ? Je crains fort quant à moi que les larmes en question ne soient dues au bouleversement que l'on éprouve en découvrant, malgré soi, les ravages irréversibles de l'âge et de la maladie sur quelqu'un que l'on aime et que l'on a connu plus en forme. La jolie maman dont le souvenir revient peut-être à mon fils en cet instant – navrant ou encourageant selon l'angle de vision – n'est plus qu'une sorte de loque pathétique avec sa sonde urinaire d'un côté, sa potence à perfusions de l'autre ; une loque qui s'agrippe avec l'énergie du désespoir à son kinésithérapeute pour ne pas s'écrouler. C'est ce désolant spectacle que j'aurais aimé épargner à Thomas, dont l'hypersensibilité m'inquiète toujours un peu. « Ce qui est fragile se casse en premier », a-t-il écrit et chanté.

*
*   *

Ma mère vivait seule avec ses deux filles et n'avait pas d'amis. Je n'en ai pas eu non plus pendant longtemps. Avoir une seule personne à aimer et à laquelle me référer a sans doute favorisé chez moi une inaptitude à me diversifier sur le plan affectif. Je ne pouvais aimer qu'une personne à la fois et je ne pouvais pas l'aimer autrement que trop. Aimer bien ou beaucoup, je ne connaissais pas. C'était tout ou rien, trop ou pas assez.

Les filles de ma classe soit m'indifféraient, soit m'effrayaient. Dans ces conditions, pourquoi, comment ai-je fait un jour une fixation sur l'une d'elles ? Elle s'appelait Agnès, n'était ni belle ni chaleureuse, juste très entourée, et je n'arrive pas à me souvenir de son visage, ni de ce qui me séduisit chez elle. Mon désir de devenir son amie m'obsédait pourtant, mais ma propension innée à trop idéaliser l'autre et à me rabaisser d'autant me paralysait déjà.

Je devais avoir sept-huit ans quand j'eus ce malheureux coup de cœur pour Agnès, qui ne prêtait pas la moindre attention à la pauvre chose maladroite, rougissante et effacée que j'étais. La communion « privée » avait lieu cette année-là. Autrement dit, c'était la première fois que les petites filles de mon école religieuse recevaient la communion. La coutume voulait que les parents procurent à leur enfant des images pieuses commémoratives qu'il distribuerait à ses camarades après la messe. Je n'aimais pas beaucoup les miennes, mais me fis une fête d'avoir enfin une raison d'approcher Agnès. Quand, le cœur battant, je lui présentai mon jeu d'images, elle prit la première venue sans me gratifier d'un regard, occupée qu'elle était à rire et papoter avec sa cour, et je m'éloignai en proie à la grande confusion que créent les émotions contradictoires. Le lendemain matin, j'aperçus l'image en question au fond de la corbeille à papier de la classe. Ce fut mon premier chagrin sentimental. Il préfigurait ceux qui lui succéderaient à l'adolescence puis à l'âge adulte.

*
* *

Mise à part mon amie brésilienne Léna, rencontrée à Rio dans ma prime jeunesse et qui a été et est encore pour moi l'amie idéale, mes relations amicales furent dans un premier temps fortuites et ne comptèrent pas vraiment.

Exactement comme mon affection exclusive pour ma mère avait pris toute la place, l'attachement aussi passionné que douloureux qui me lia aux quelques hommes de ma vie me rendit sourde et aveugle au monde extérieur et m'empêcha de prêter une attention suffisante aux amis potentiels ou officiels. Il va de soi que la naissance de mon petit Tom fut l'un des événements les plus importants de mon existence, le plus important sans doute, pour toutes les raisons qui coulent de source, mais aussi parce que je sortais du cadre étroit de la relation à deux. Pour la première fois, je vivais une relation à trois, où deux êtres m'importaient autant l'un que l'autre. L'amour que chacun d'eux m'inspirait était différent mais tout aussi intense et transcendant, tout aussi anxiogène également.

Après quelques années à Paris durant lesquelles nous nous vîmes d'autant plus souvent que mon prétendu amoureux était en permanence aux abonnés absents, Léna retourna à Rio, sa ville natale. Thomas vint au monde un an plus tard et l'amitié fut à nouveau reléguée à l'arrière-plan de mes priorités. Il fallut attendre que mon mari s'installe en Corse et que notre fils vive sa vie pour que le vide ainsi créé me rapproche davantage des amis avec lesquels des liens s'étaient tissés au fil de relations professionnelles privilégiées.

Parmi mes amis d'aujourd'hui, il y a ceux ou celles que, dans le meilleur des cas, je ne vois qu'une fois par an, mais qui me sont chers et avec lesquels j'entretiens une correspondance à laquelle j'attache un grand prix. Il y a bien sûr Léna, mon amie de Rio, et D., mon amie de Genève, dont je me sens très proche malgré la distance géographique. Nous nous parlons régulièrement au téléphone, car je ne peux guère voyager, et elles non plus. Je leur dis tout ou presque, et nous échangeons beaucoup sur la spiritualité, bien que je ne leur arrive pas à la cheville dans ce domaine.

Restent les quatre-cinq amis, M. et JN1 en tête, qui font partie de la garde rapprochée que j'appelle le « club ». Nous nous connaissons depuis au moins deux décennies et, même si rien ne dure, même si un éloignement – d'où qu'il vienne et de quelque nature qu'il soit – est toujours possible, rien ne pourra gommer l'affection qui nous lie, fruit de tous nos moments ensemble.

*
* *

Quand je me « retrouve » à l'hôpital, dans un état de totale impotence, M. et JN1 sont là et vont tout faire pour me faciliter les choses et me rendre la vie plus agréable. L'un m'apporte des tranches de saumon fumé bio et de délicieux yaourts introuvables, auxquels je vais vite devenir « addict » ; l'autre prend la peine de me confectionner des tartes fines aux pommes et des salades de « fusilli ». Quand ils découvriront le prix exorbitant que fait payer l'hôpital pour la moindre bouteille d'eau, ils m'interdiront d'en boire et prendront la peine de m'apporter des packs d'eau minérale pendant les cinq mois de mon hospitalisation. Évidemment, ils sont aussi de corvée pour aller chercher mon courrier chez moi, me l'amener, le dépouiller et y répondre sous ma houlette, puisqu'il m'est impossible d'écrire. Leur venue quasi quotidienne m'apporte un peu de la vie du dehors et de son oxygène. Surtout, leur simple présence me réconforte. C'est par eux que j'aurai les premières révélations, effrayantes, sur ce qui m'est arrivé.

Tant de dévouement m'emplit de gratitude, de culpabilité aussi, car je ne serai jamais en mesure de leur rendre la pareille et je n'ai pas eu dans le passé l'occasion de payer de ma personne vis-à-vis d'eux autant qu'eux aujourd'hui vis-à-vis de moi. L'abnégation avec laquelle ils traversent mon épreuve à mes côtés renforce notre amitié et la scelle à jamais.

*
* *

Au début des années 1970, pour des raisons d'ordre professionnel, je fais la connaissance de N., une jeune fille qui ne me plaît pas beaucoup. Un je-ne-sais-quoi dans sa façon d'être me hérisse. Mais sa compétence professionnelle est indéniable et nous travaillerons quelque temps ensemble. De même que je suis incapable de satisfaire la demande d'ordre professionnel d'un ami si elle me paraît contre-indiquée, de même je surmonte mes réticences vis-à-vis d'une personne si elle a du talent et si notre partenariat occasionnel s'avère fructueux. Autrement dit, je ne mélange pas le travail et les sentiments, je m'efforce tout au moins de les dissocier quand il le faut.

La première impression n'est pas toujours la bonne, mais la suite me prouvera qu'en ce qui concerne N., mes réticences étaient fondées. Au bout de deux-trois ans de rencontres professionnelles, elle me révèle son homosexualité, dont je n'ai rien à faire, et enchaîne avec une déclaration d'amour fort malvenue puisque Thomas est né quelques jours plus tôt et qu'elle sait à quel point je suis amoureuse de son père. Surtout, je ne maîtrise pas toujours l'agacement qu'elle m'inspire, et elle l'a forcément remarqué. Je profiterai à la fois de la situation embarrassante ainsi créée et de mon changement de vie, en particulier d'un déménagement, pour couper les ponts, ce que de toute façon je souhaitais depuis longtemps.

Pas découragée pour autant, N. m'enverra régulièrement des lettres et des photos que je jetterai à la poubelle sans en avoir pris connaissance. L'illisibilité de son écriture ajoute d'ailleurs à mon agacement, quand bien même je ne ressens nul besoin de la déchiffrer. Le temps passe et un jour, alors que je m'apprête à me débarrasser d'une énième missive, mon regard est attiré par le mot « cancer ». C'est ainsi que je prends connaissance des quelques lignes où N. m'informe du mal à un stade avancé dont elle souffre. Le diagnostic de mon lymphome est récent et je connais donc l'immensité de la détresse qui vous submerge à une annonce pareille ainsi que la peur – celle de souffrir plus que celle de mourir – qui ne va plus vous lâcher. Malgré mon appréhension que N. s'engouffre dans la brèche que risque de créer le moindre signe de vie de ma part, je lui envoie un petit mot pour lui exprimer ma compassion et, dans mon esprit, cela s'arrête là.

Pas dans le sien, hélas, car elle cherche aussitôt à renouer le fil d'une amitié qui n'a jamais existé autrement que dans ses rêves, tant et si bien que tout en la supposant fragilisée par la maladie, je dois lui mettre les points sur les i. Non, je ne me rendrai pas chez elle pour fêter sa sortie de l'hôpital. Je ne lui communiquerai pas non plus mon numéro de téléphone. Il n'est pas question qu'on se revoie. Je pourrai juste échanger des nouvelles avec elle par mail, de temps à autre...

Je ne compte plus le nombre de mails qu'elle m'envoie ensuite ni le nombre de fois où son obstination à ignorer les limites que j'ai posées m'oblige à lui écrire noir sur blanc que, même si je ne lui veux aucun mal, je n'ai jamais été son amie et ne le serai jamais. En vérité, l'idée de la revoir me tétanise. Contrairement à ce qu'elle imagine peut-être, je ne me défends ni d'une pseudo-homosexualité refoulée ni d'un pseudo-attrait qu'elle exercerait sur moi. Pourquoi m'en cacher ? Sa déclaration d'amour intempestive a transformé mes réticences innées à son sujet en aversion. Pire que ça, je la perçois comme une grande névrosée dont les vibrations négatives excessives sont nocives pour les autres autant que pour elle-même.

N. fait donc appel à son inépuisable ingéniosité pour m'approcher contre ma volonté. Par exemple, elle se rend là où elle imagine que j'irai – entre autres, aux spectacles de mon fils, dans la vie duquel elle cherche à s'immiscer. Connaissant mon admiration pour Hélène Grimaud, elle m'impose sa présence à l'entracte de l'un de ses concerts et me présente une actrice devant laquelle elle se comporte comme si nous étions des amies intimes, allant jusqu'à m'embrasser par surprise. Ce forçage m'est si odieux que je la prends encore plus en grippe.

N. a ensuite la brillante idée de publier le travail auquel elle m'a associée des décennies plus tôt, ce qui implique ma participation à l'élaboration de l'ouvrage. Excédée par son entêtement à se rapprocher de moi par tous les moyens et par la situation de *double bind* où elle me met, je m'en sors en lui posant comme condition que tout se fasse par courrier électronique. Cette collaboration obligée s'avérera un cauchemar. Cherche-t-elle à faire durer le plaisir ? Chaque fois que nous arrivons enfin à un résultat satisfaisant, comme si une mouche la piquait, elle décide de changer de graphiste et tout, absolument tout est à refaire. C'est uniquement parce que je suis l'objet de ce travail et que la qualité de ce qui sort sur moi m'importe que je tiendrai bon jusqu'au bout.

L'évocation de ses problèmes de santé m'incitant à me manifester et à lui prodiguer mes encouragements, N. s'emploie à faire vibrer autant qu'elle le peut cette corde sensible. Mais sa façon de m'abreuver d'informations de plus en plus inquiétantes sur son état finit par me mettre la puce à l'oreille. Je me souviens d'un courriel apocalyptique où, non contente d'être à un stade avancé de son cancer et de suivre des traitements sur la lourdeur desquels elle insiste sans cesse, elle m'écrit qu'elle vient d'avoir un grave accident de voiture et que je ne sais quelle autre catastrophe frappe son frère, auquel elle est très attachée. À l'entendre, elle n'en a plus pour longtemps, mais chaque fois qu'elle fait en sorte que je l'aperçoive, elle semble beaucoup plus en forme que moi et n'a en rien l'apparence d'une malade. Quand Thomas se produit à Paris plusieurs fois de suite, elle vient chaque soir pour ne pas me rater. Je me souviens du soir où elle est accompagnée de son médecin, une femme dans mon genre, assez maigre, au teint plombé, aux traits creusés et tirés, qui semble se porter plus mal que sa patiente. Forte de ce que l'annonce de son cancer a réussi à me sortir de mon silence là où ses tentatives épistolaires avaient échoué pendant si longtemps, N. forcerait-elle le trait pour m'apitoyer au point de me rapprocher d'elle davantage ? J'ai souvent l'impression inquiétante qu'elle est prête à tout pour obtenir de moi ce que je suis incapable de lui donner, mais, même si l'idée m'en traverse parfois l'esprit, je ne crois pas sérieusement qu'elle me manipule avec ses problèmes autrement qu'en noircissant le tableau.

Si odieux et inappropriés qu'ils soient, l'égocentrisme forcené de N., ses harcèlements récurrents, son impossibilité à me laisser tranquille, sont de toute évidence l'expression d'une grande souffrance psychique, que son corps s'est d'ailleurs chargé d'exprimer à sa place. À l'en croire, cela fait très longtemps qu'elle suit une psychanalyse. Comment se fait-il qu'elle persiste à frapper aux mauvaises portes et continue d'entretenir le fantasme déplacé et ridicule dont je fais l'objet depuis une quarantaine d'années ? Que de temps, que d'énergie, que d'argent, pour en rester au même point !

*
* *

On ne choisit pas sa famille, dit la chanson. Dans ma jeunesse, j'imaginais qu'à l'inverse, on choisissait ses amours et ses amis ! Mais le cadre dans lequel nous évoluons presque tous est étroit et nos conditionnements géographiques, affectifs et sociaux réduisent plus que nous ne l'imaginons notre part de liberté. Nous ne décidons pas consciemment de nos antipathies ou sympathies instinctives, de nos attirances ou de nos rejets. Les unes et les autres semblent commandés par quelque chose d'extérieur à nous – de plus fort que nous –, et nous commander plus que nous ne les commandons. Ils reflètent pourtant ce que nous sommes, nos aspirations comme nos carences et nos problématiques personnelles.

Ceux ou celles qui, sans se préoccuper le moins du monde de mes sentiments, ont été déterminés à prendre coûte que coûte dans ma vie une place que je n'avais aucune envie de leur accorder, n'ont récolté que mon exaspération et ma fuite. Parmi elles, il y aura eu quelques petites souris gentilles et inoffensives. *A priori*. Car dès que, dans un premier mouvement de sympathie, j'entrais dans leur jeu, j'en arrivais fatalement à m'apercevoir qu'elles grignotaient insidieusement mon espace-temps en me submergeant d'attentions, en devançant le moindre de mes désirs, pire encore, de mes besoins, en me flattant, en me rassurant, parfois même en tentant à mon insu de se lier avec mes proches ou en s'informant derrière mon dos de tout ce qui me concernait, comme pour s'approprier ma personne et ma vie, et en devenir maître.

En amitié comme en amour, le forçage et l'envahissement sont voués à l'échec. Avoir des vues à sens unique sur quelqu'un et l'empoisonner avec des tentatives répétées d'ingérence relève de la pathologie. Il s'agit là de folie, douce en apparence, meurtrière en puissance. Le pire, c'est que les personnes qui y sont sujettes croient aimer l'objet de leur fixation et ne réalisent pas que leur avidité égocentrique est l'expression même de leur inaptitude à aimer. Encore une fois, ni l'amour ni l'amitié ne se commandent, et si l'on croit aimer quelqu'un qui ne veut pas de vous et pour qui on est visiblement *persona non grata*, la moindre des élégances n'est-elle pas de s'éclipser discrètement, sans faire de bruit ?

Chapitre V

Le très discret cardiologue de mon mari vient régulièrement prendre de mes nouvelles sans s'attarder. Un jour, je lui confie que j'ai rêvé de lui et évoque une partie du cauchemar dont le souvenir m'oppresse encore : mon étouffement dans une boîte où l'on m'avait enfermée, les brèves visites souriantes qu'il me rendait, mon impossibilité à lui faire comprendre que j'étais en train de mourir et avais désespérément besoin de son aide... « Vous n'avez pas rêvé, me répond-il, manifestement troublé. Vous m'avez réellement demandé de vous sauver. »

À partir de là, je réaliserai peu à peu que si je repoussais de toutes mes forces la moindre réminiscence de mon terrifiant cauchemar, c'était parce qu'il avait été autant vécu que rêvé. Mais il faudra que j'attende l'année suivante pour être mieux informée sur ce par quoi je suis passée. Mon amie D. m'envoie alors le rapport où, jour après jour, grâce à la complicité d'une infirmière, elle a noté tout ce qui m'est arrivé pendant mon hospitalisation. Ce rapport me perturbe à plusieurs titres et je suis d'abord déstabilisée de fond en comble par le manque de concordance entre ce que j'y lis et ce dont je me souviens.

J'ai en effet l'intime conviction d'avoir été plongée dans l'inconscience peu après ma glissade dans la douche, le 11 mars, et de m'être réveillée au bout de trois semaines, pour voir mon fils d'abord, son père ensuite, et un peu plus tard D. elle-même, venue spécialement de Suisse pour m'apporter son soutien. Aussi mon incrédulité est-elle totale quand je lis que D. m'aurait rendu visite une quinzaine de jours après ma chute. Je me souviens d'ailleurs avec précision de sa visite, mais ne peux pas croire qu'elle ait eu lieu en mars et non en avril, après ma « résurrection ». D. ira jusqu'à m'envoyer ses relevés bancaires pour me convaincre qu'elle ne dit pas n'importe quoi ! Mais, contrairement à ce qu'elle espère, je ne retrouverai pas la mémoire pour autant.

Désorientée, je mène une petite enquête auprès de mon mari ainsi que de mon grand ami JN1, venu presque chaque jour à l'hôpital avec mon autre grand ami M. pour entourer Thomas et partager son épreuve. Dans quoi me suis-je lancée là ? Les témoignages divergent et ma perplexité va grandissant ! Par exemple, mon mari vérifie sur ses billets d'avion qu'il était à Paris entre le 19 et le 27 mars, et affirme ne m'avoir vue qu'inconsciente. Il raconte volontiers, et toujours avec une pointe d'étonnement dans la voix, qu'au moment où il m'a pris la main, mes pulsations cardiaques ont ralenti au point que les médecins, affolés, se sont précipités pour l'éloigner ! C'est dans ce laps de temps que D. est venue, et j'étais consciente puisque je me souviens bien de la façon dont elle était habillée et comme elle se décarcassait pour me trouver de bonnes choses chez les traiteurs du quartier, afin que je mange davantage.

Quelqu'un d'aussi porté au doute que je le suis a besoin de se raccrocher à quelques certitudes, et me voilà confrontée à l'impossibilité d'en avoir. Les proches auprès desquels je cherche à m'informer sont forcément de bonne foi et je n'ai aucune raison de mettre en doute ce qu'ils me disent. Mais au final, je ne sais plus quoi penser, je ne sais plus grand-chose hormis que je ne sais pas grand-chose – comme diraient les bouddhistes.

Cela me donne une petite idée de l'extrême fragilité des témoignages, y compris de ceux que l'on prend le plus au sérieux parce qu'ils viennent de témoins intègres, intelligents, sûrs et certains en leur âme et conscience de ce qu'ils avancent. Penser que des présumés coupables ont été exécutés ou condamnés à perpétuité sur la foi de témoignages à propos desquels, si cré-dibles qu'ils puissent sembler, devrait toujours subsister une part de doute, fait froid dans le dos !

*
* *

Une autre découverte va me faire froid dans le dos : celle, grâce au rapport de D., des détresses respiratoires répétées dont j'ai souffert et qui me renvoient de façon dérangeante à mon cauchemar. J'apprends que je suis opérée du coude et de la hanche deux jours après ma chute ; que quarante-huit heures plus tard, on me met dans un coma artificiel pour que je souffre moins ; que l'on m'en fait sortir le jour de l'arrivée de D. ; qu'après son départ, fin mars, j'ai de plus en plus de mal à respirer et qu'à la suite d'un scan pulmonaire, je subis une intervention consistant à m'ôter les caillots localisés dans le poumon gauche, à me poser des drains après avoir prélevé un litre de liquide pleural (!), ainsi qu'à abraser la plèvre et à la recoller. C'est ce dernier point qui m'effraie le plus. Après un décollement de plèvre fin 2005, si douloureux que, dans mon ignorance, je croyais ma dernière heure arrivée, on m'a informée qu'il y avait 50 % de chances pour que j'en aie un second, auquel cas j'aurais encore plus de chances d'en faire un troisième, mais que celui-là ne pardonnerait pas.

Y repenser en rédigeant ces lignes devrait réactiver mon angoisse latente, au lieu de quoi je ne peux m'empêcher de rire. Toute récapitulation catastrophique déclenche en effet chez moi un réflexe incongru d'hilarité et je chantonne : « Mais à part ça, Madame la Marquise, tout va très bien, tout va très bien ! »…

Les 4 et 5 avril 2015 sont les journées les plus critiques, celles où les médecins me jugent perdue. C'est le 6 avril qu'ils demandent à Thomas de faire revenir d'urgence son père de Corse. Dès son arrivée à Paris, avec son assentiment et celui de Thomas, l'oncologue prend la décision de m'administrer une première chimio et peu de temps après une seconde, différente et plus lourde, malgré et à cause de mon état désespéré.

Le plus stupéfiant dans le rapport de D., c'est que, contrairement à ce que je croyais, je ne suis pas restée inconsciente jusqu'à mon retour à la vie. Chaque fois que ma mémoire semble me trahir, je me tourne vers la logique : si cette période critique de plusieurs semaines a été entrecoupée de quelques réveils durant lesquels j'étais aussi consciente que lors de la visite de D., moi qui suis si douillette, j'aurais dû souffrir le martyre ! Moi qui suis si anxieuse, j'aurais dû réaliser que je touchais au terme de mon existence ! Comment ne pas ressentir, ne pas percevoir des choses pareilles ! Dans un autre ordre d'idées, comment n'avoir aucun souvenir de Thomas me lisant des textes de Georges Brassens, dès lors que nous nous tenions la main et qu'il voyait tellement d'amour dans mes yeux ? Il vaut sans doute mieux ne pas m'appesantir plus longuement sur le mystère de mes trous de mémoire : je n'en trouverai jamais la clé.

Ce n'est qu'en relisant ces lignes que le voile se déchire brusquement. Mais bon sang, c'est bien sûr, comme aurait dit le commissaire Bourrel[1] : l'insupportable angoisse de mort due à l'impossibilité de respirer, je l'ai bel et bien vécue. À n'en pas douter, la morphine ou je ne sais quels autres produits anesthésiants ont fait de mon vécu un mélange détonant de rêve et de réalité. Un mélange dont le souvenir me fait encore frémir.

*
* *

L'établissement hospitalier où je suis soignée est un gouffre financier qui ne désemplit pourtant pas. J'apprends que dès qu'un patient va suffisamment mieux pour rentrer chez lui ou aller en clinique, le nécessaire est vite fait. Me voilà donc en ambulance pour mon transfert

---

1. Le commissaire Bourrel était le personnage principal, joué par Raymond Souplex, d'une série policière des années 1960 intitulée *Les Cinq Dernières Minutes*.

dans une clinique de Boulogne. Nous sommes le 20 mai et je n'ai pas mis le nez dehors depuis début mars. Revoir les arbres et le ciel, avoir un aperçu de ce printemps que j'attends chaque année avec impatience et que j'ai en partie raté cette fois-ci, me procure une joie d'enfant.

De construction récente, la clinique est édifiée à l'emplacement des mythiques studios de cinéma de Boulogne-Billancourt, ce qui vaut à chaque étage un titre de film. À mon grand amusement, le mien s'intitule *La Grande Vadrouille* ! L'endroit me plaît, il est clair et net, ma chambre est petite, mais plus gaie que celle de l'hôpital. Le lit s'avère beaucoup plus confortable et il y a la clim qui manquait si cruellement là d'où je viens. La salle de bains est bien plus pratique à tous égards, seul le carrelage de la douche devient très glissant quand l'eau coule, comme c'est presque toujours le cas. Cela nous obligera à prendre des précautions de Sioux, les aides-soignantes et moi, quand bien même ma toilette aura lieu sur une sorte de gigantesque fauteuil métallique de couleur verte, pourvu de roulettes et de freins. Le siège est percé d'une ouverture si vaste qu'au début j'aurai peur de passer au travers. Cerise inestimable sur le gâteau, la nourriture n'est qu'à moitié industrielle, car il y a des cuisines et le chef cuisinier a trouvé le secret pour que la viande et le poisson ne soient pas secs.

Le médecin-chef, le docteur R., est une belle femme élégante qui m'inspire confiance et dont j'apprécie le dynamisme, la bonne humeur et la positivité. Deux charmantes kinésithérapeutes se chargent tour à tour de poursuivre ma rééducation et le font avec une conscience professionnelle exemplaire. Les différences d'un thérapeute à l'autre éveillent mon intérêt. Loin de s'opposer, les variantes se complètent. Au patient d'en faire la synthèse. Mais il y a unanimité à propos de la marche, considérée comme plus importante encore que les exercices. Plusieurs fois par jour et avec l'aide alternée de mes deux thérapeutes qui font en sorte que je sois aussi peu gênée que possible par la sonde urinaire et la potence, j'arpente donc les couloirs de *La Grande Vadrouille* d'un pas incertain. Au début, elles me montrent aussi comment me lever plus facilement du lit, ce qui ne m'est pas encore possible mais le deviendra bientôt. C'est dans cette clinique que tous les efforts fournis et tous les soins prodigués depuis des semaines finiront par porter leurs fruits. Plusieurs fois déjà, l'hématologue m'a pressée d'arrêter la sonde urinaire, mais je ne me sens pas prête. Il faudra que mes progrès soient parvenus à un certain stade pour que le moment me semble venu de me débarrasser du dispositif qui m'aura été indispensable pendant trois mois.

Peu avant mon transfert à la clinique, on m'a réopérée du coude. La fracture étant mauvaise, il avait fallu mettre des broches lors de la première intervention chirurgicale. Mais les divers essais pour calmer à coups de pansements différents la douleur chronique du coude à vif n'avaient rien donné. Tant qu'il y a des peaux mortes, une blessure ne peut pas cicatriser, m'explique-t-on. Aussi, durant l'opération sous anesthésie générale où l'on m'enlève les « broches », qui ressemblent à de grosses aiguilles et m'évoquaient jusque-là celles avec lesquelles on enfourne les poulets, le chirurgien effectue dans la foulée un curetage du coude. Au réveil, l'effet de l'anesthésie se dissipe rapidement et j'ai si mal que, moi qui jusque-là évitais soigneusement tous ces médicaments que l'on prescrit pour un oui, pour un non – Dafalgan, Doliprane et autres... –, je suis prête à avaler des quantités astronomiques de n'importe quel antalgique susceptible d'arrêter cette douleur qui donne envie de hurler. Je prends tout ce qu'on me donne sans discuter, mais constate que s'ils atténuent la douleur, les médicaments ne la suppriment pas. Malgré le renouvellement quotidien des soins et des pansements à la clinique, il faudra des mois pour que ce malheureux coude me fasse moins mal et que son état commence à s'améliorer.

*
* *

Un matin, en effleurant mon cou par mégarde, je découvre une grosse boule bien ronde et bien dure, juste sous la clavicule droite. Voilà le résultat des chimios, me dis-je, au comble de l'angoisse. La chanson de Lou Reed, *Sword of Damocles*, me revient à l'esprit. Il y relate sa visite à un ami atteint d'un cancer et remarque cyniquement : « *To cure you, they must kill you.* » En cherchant à guérir mon lymphome, les médecins auraient-ils provoqué je ne sais quelle tumeur maligne ? J'alerte l'infirmière de service, qui me rassure : « C'est juste le cathéter », me dit-elle. Je n'avais pas réalisé qu'on m'avait mis sous la peau une sorte de petit boîtier doté d'un tube inséré dans je ne sais quelle artère pour les perfusions. Finalement, il y a quand même des détails dont il vaudrait mieux informer les malades, anxieux ou non !

*
* *

Chaque mois, une ambulance me ramène à l'hôpital pour les chimiothérapies. Jusque-là, les perfusions avaient lieu à plusieurs jours de distance, mais désormais on m'administre les deux traitements à la suite, et cela prend une journée et demie. Alors qu'auparavant la deuxième chimio me coupait instantanément l'appétit et la digestion pendant quelque temps, les effets secondaires se manifestent cette fois-ci

76

sous forme de plaques rouges sur tout le corps et le visage, qui me brûlent autant qu'elles me démangent. Inévitable et plus attendue, l'extrême fatigue est au rendez-vous et m'anéantit pendant deux bonnes semaines.

Le médecin souhaite que l'on me fasse une fibroscopie pour savoir si les chimios agissent. C'est un examen sous anesthésie générale que j'ai déjà subi et qui consiste à introduire une fibre optique dans la gorge afin d'explorer les muqueuses gastrique et duodénale. Lors des deux explorations précédentes, ces muqueuses étaient dans un état très critique. Rendez-vous est pris pour le 29 juin et il est prévu d'enchaîner sans transition avec les chimios. J'aurais pré-féré que les deux interventions soient espacées, mais ce n'est pas possible et la perspective de ces trois jours m'effraie, car je me sens encore plus affaiblie que d'habitude.

Tout se passe mieux que je ne le craignais. Je me réveille de la fibroscopie sans la dou-leur à la gorge qui m'avait incommodée pen-dant une dizaine de jours après la première en date, la seconde ayant eu lieu quand j'étais dans le coma. Aurait-on utilisé un câble plus fin ? J'ouvre les yeux dans la salle de réveil où plusieurs autres malades reviennent à eux. Le docteur C., qui a pratiqué la fibroscopie, arrive, flanqué de son médecin anesthésiste. Avec un grand sourire, il m'annonce que l'état des muqueuses s'est beaucoup amélioré. « Il n'y a pas photo », m'assure-t-il. Je pense à la réplique dans le film *Harry dans tous ses états* de Woody Allen : « Les mots les plus doux ne sont pas "je t'aime" mais "c'est bénin". » Mon soulagement est aussi grand que ma gratitude vis-à-vis des médecins – mais pas seulement. « Merci mon Dieu », dis-je intérieurement. C'est un automatisme, certes primaire, car je ne pense pas sérieusement que Dieu se penche sur les maux de l'un ou l'autre des innombrables malades de notre minuscule planète. Voilà pourquoi je préfère m'adresser à l'un de ses relais, un Guide, un Maître, un ange, gardien ou autre – pourquoi pas ? –, susceptible de m'apporter une aide indirecte s'il le peut et s'il le juge bon. J'imagine qu'aider n'implique pas en l'occurrence quelque miracle que ce soit, mais favorise la connexion à un courant d'énergie positive, susceptible d'alimenter et de renforcer son propre courant, diminué par la maladie.

*
* *

Après les chimiothérapies de début juillet, j'appréhendais d'avoir à nouveau ces horribles plaques rouges pareilles à des brûlures au premier degré. On m'a déjà dit que les effets secondaires ne sont pas forcément identiques d'une même chimio à une autre. Et cela se vérifie : hormis l'épuisement et des soucis digestifs, il n'y aura rien de méchant cette fois-ci.

J'ai meilleur moral et les journées à la clinique passent vite entre les soins, les séances de kinési et psychothérapie, et les visites de mes amis. Ils m'apportent qui un melon ou des fraises, qui un livre, et me félicitent de ma bonne mine. Dès que je suis débarrassée de la sonde urinaire et de la potence, je remplace les déambulations dans les couloirs de mon étage par des promenades quotidiennes précautionneuses dans Boulogne, ville très agréable où je n'étais jamais allée. Des passantes me reconnaissent et m'adressent la parole. Leur gentillesse me réchauffe le cœur. Nous faisons parfois un bout de chemin ensemble...

En début de journée, tant qu'une aide-soignante n'est pas venue faire ma toilette, je tourne en rond dans l'espace exigu de ma chambrette. Il faut parfois attendre trois heures pour qu'elle arrive et que je puisse enfin être habillée et un peu plus libre de mes mouvements. Le souvenir omniprésent de ma glissade dans la douche de l'hôpital m'incite au maximum de prudence, mais un beau matin, je sens que je peux me lancer. Je m'installe sur la chaise percée et fais ma toilette pour la première fois depuis quatre mois. C'est un grand progrès à la suite duquel je commence à envisager de rentrer chez moi. Mon fidèle M. remporte à mon domicile les livres accumulés, dont le passionnant essai de Giula Enders sur le « charme discret de l'intestin » que m'a offert

Gabriel Yared en avril dernier. En quelques allers-retours, ma chambre est débarrassée, et c'est avec émotion que je quitte la clinique et son personnel attachant pour rentrer chez moi en compagnie de M.

Pendant mon absence, le disjoncteur de mon appartement a sauté : les filets de poisson, les épinards bio et autres surgelés ont fondu. Je n'ai pas bu une goutte de vin depuis mars, sans que cela me manque, mais suis encore plus contrariée de réaliser que les précieux bordeaux, achetés en primeur et censés s'ouvrir peu à peu dans deux Eurocave, sont passés en mon absence de seize à quarante degrés. Je constaterai par la suite que ce mauvais traitement les a rendus imbuvables.

M. et moi allons faire mes courses ensemble. Comme il sied à un 18 juillet, il fait très chaud. Mes jambes me font mal et mon équilibre est des plus instables, mais retrouver mon *home sweet home* et mon quartier me rend euphorique. Hugo Desnoyer[1], dont l'une des boutiques est à cinq minutes de chez moi, m'embrasse et les autres commerçants me font un chaleureux accueil. Demain soir, j'ai prévu de dîner avec mon mini-club dans le restaurant spécialisé en viandes qui se trouve boulevard Gouvion-Saint-Cyr. En dégustant l'entrecôte bien saisie

---

1. Hugo Desnoyer est l'un des plus célèbres et des meilleurs bouchers de France.

et saignante dont il m'est souvent arrivé de rêver devant les « semelles » immangeables de l'hôpital, j'aurai une pensée émue pour le consciencieux étudiant infirmier qui me suspectait d'être anorexique.

Chapitre VI

Quelques proches s'inquiètent de me savoir seule chez moi, qui plus est à Paris au mois d'août. L'ami M. pousse le dévouement jusqu'à se priver de vacances au cas où j'aurais besoin de lui. Mon bras droit me handicape encore et mes jambes restent flageolantes, mais je n'ai pas trop d'appréhension et le bonheur d'être chez moi, entourée de tous mes livres, pèse plus lourd dans la balance que le reste. Et puis, entre ma réadaptation à la vie quotidienne et la pile de documents à classer ou de courrier auquel répondre, je n'aurai pas le temps de m'ennuyer.

Ce bonheur va être de courte durée. Dès le 30 juillet, je retourne à l'hôpital pour mes deux chimios en ambulatoire. Autrement dit, je ne suis pas obligée d'y passer la nuit puisqu'on me perfuse la même quantité de produit en beaucoup moins de temps. Il faudra enchaîner dès le lendemain avec une piqûre d'une solution médicamenteuse destinée à remonter le taux des globules blancs, que les traitements lourds font chuter.

Les trois jours suivants sont gâchés par des douleurs insupportables dans la région lombaire dues à la piqûre, suivies de diarrhées et de vomissements qui m'empêchent d'avaler la moindre bouchée. La hantise de perdre du poids, alors que j'ai eu tant de mal à en gagner, me tourmente à nouveau.

L'appétit revient vite, mais les diarrhées continueront jour et nuit, sans répit, pendant quatre mois ! Au début, je crois que c'est à cause de tous les produits chimiques dont mon corps a été sursaturé et qui m'ont flingué le foie, comme en témoignent les mauvais marqueurs hépatiques. Mon hématologue pense plutôt à une bactérie et me prescrit les peu ragoûtantes analyses de rigueur, dont une dans un laboratoire spécialisé assez loin de chez moi. Ma vie est devenue compliquée, car les débâcles intestinales qui surviennent n'importe quand sans prévenir font de la moindre sortie une source d'angoisse et impliquent en permanence de fastidieuses précautions. Au final, non seulement les analyses n'indiquent rien de significatif, mais aucun changement dans mon alimentation, aucune médication – pas plus les pré- et les pro-biotiques que les anti-diarrhéiques – n'amènent une once d'amélioration.

Une relation de confiance m'envoie alors un médecin qu'elle a convaincu de m'aider. Il officie en province et a enrichi sa pratique de celle de la médecine dite « quantique », désavouée par le Conseil de l'Ordre. L'équipe du professeur Luc Montagnier ainsi que d'autres sommités médicales et scientifiques se sont rendues en 2010 à Aix-en-Provence pour participer à un congrès destiné à mieux faire connaître cette approche médicale révolutionnaire, considérée par beaucoup comme la médecine du futur.

Le docteur B. arrive chez moi avec tout un attirail d'appareils encombrants, parmi lesquels, bien sûr, un ordinateur. Je ne suis évidemment pas à même d'expliquer les tenants et aboutissants de sa pratique. J'ai juste cru comprendre que, comme l'ancestrale acupuncture, la médecine quantique est globale et s'occupe des énergies. En acupuncture, c'est la prise des pouls, au nombre de douze, qui permet d'établir un diagnostic en fonction duquel des aiguilles spécifiques seront placées sur des points stratégiques – ceux en cause des douze trajets énergétiques que sont les méridiens –, pour stimuler ou disperser les énergies qui en ont besoin et retrouver ainsi un équilibre satisfaisant.

La médecine quantique fait quant à elle un état des lieux grâce à des mesures obtenues par la connexion d'un mystérieux appareil à un ordinateur. Si l'on n'a aucune notion de science physique, l'apparente complexité de cette technique ne permet ni de savoir clairement de quoi il retourne ni de se faire une idée de la compétence du thérapeute qui l'utilise.

Tout cela me dépasse et je cherche à m'informer. Mais les dossiers que l'on trouve sur Google augmentent ma confusion en me donnant l'impression d'utiliser des termes scientifiques à tort et à travers au point qu'il en résulte un micmac rédhibitoire, voire alarmant. Il est cependant beaucoup question d'ondes électromagnétiques, de champs énergétiques, de fréquences vibratoires, des cellules et des organes... Cela me renvoie à l'assertion du grand astrologue Jean-Pierre Nicola, qui a passé sa vie à expliquer que l'astrologie n'est pas seulement symbolique : « Nous sommes des machines électriques et vivons dans le vaste champ électromagnétique qu'est notre environnement terrestre en interaction avec les champs solaire et planétaire », a-t-il écrit.

Je me souviens aussi du docteur Borsarello, décédé en 2007, que j'avais consulté il y a fort longtemps. Frappée par la similitude entre ses propos et ceux de Jean-Pierre, j'avais relevé les passages suivants dans l'un de ses traités d'acupuncture : « On peut affirmer qu'il n'est pas un organe et pas une seule fonction de notre corps qui ne soient affectés dans un sens ou un autre par le champ électromagnétique terrestre... Le courant électrique qui circule dans le corps humain à la vitesse de 300 km/h ne se propage pas seulement le long des fibres du système nerveux... Les organes, les muscles et la peau sécrètent également un courant électrique d'intensité variable selon les organes... »

Et puis il y a les textes de spiritualité que je relis souvent pour m'en imprégner davantage et mieux les assimiler. Ils insistent régulièrement sur l'indissociabilité du couple conscience-énergie de nature électrique, et mettent l'accent sur la « fréquence vibratoire » de tout en général, de l'être humain en particulier. Chez quelqu'un de peu évolué, cette fréquence serait basse et les vibrations s'avéreraient grossières. Chez quelqu'un d'évolué au contraire, on trouverait une fréquence élevée et des vibrations plus subtiles. L'évolution n'est évidemment pas une affaire de culture, mais de qualité humaine, laquelle se fonde sur celle du discernement et de l'empathie.

Il semblerait que les appareils utilisés par la médecine quantique mesurent l'intensité électrique des divers organes et cellules pour savoir s'ils fonctionnent normalement ou non. En cas de déficience, ils y remédieraient par l'envoi de fréquences électriques correctrices. Ces appareils sont également susceptibles d'évaluer le taux vibratoire de ce que le patient ingère : médicaments, aliments, entre autres, et de déterminer ceux qui lui sont bénéfiques ou non.

Par la suite, le docteur B. m'informera que sa pratique se fonde sur des principes quantiques, mais fonctionne sur des bases « physico-énergétiques » inspirées par les recherches du docteur Albert Abrams[1] sur la « signature énergétique » spécifique de chaque organe et, plus généralement, de tout élément.

*
* *

En lisant ou relisant certains passages des livres de Trinh Xuan Thuan qu'au fil des années il a eu l'amitié de me faire parvenir, j'apprends que la physique quantique a débouché sur les ordinateurs, les lasers, les portables et autres applications devenues indispensables. J'ignore si le qualificatif « quantique » ne se réfère qu'à cet aspect pratique pour la médecine qui se l'est approprié, ou s'il existe des relations plus poussées entre elle et la physique du même nom.

Ce qu'on appelle la « mécanique quantique » s'occupe de l'infiniment petit, à savoir des atomes, de leur structure, de leur comportement et de leurs rapports avec la lumière[2]. Elle a démontré, entre autres, l'impossibilité de connaître à la fois la position d'une particule et son mouvement.

---

1. Albert Abrams, l'un des pionniers de la médecine électronique, 1863-1924.
2. Trinh Xuan Thuan, *Dictionnaire amoureux du ciel et des étoiles*, Plon-Fayard, 2009.

En effet, plus on éclaire une particule pour mieux préciser sa position, plus l'augmentation d'énergie des particules porteuses de lumière, ou photons, qui s'ensuit et se communique à la particule observée en modifie le mouvement et le rend insaisissable.

Pour corser les choses, les particules ont une nature double : tantôt corpuscules, tantôt ondes, elles se montrent sous l'une ou l'autre forme selon la façon dont on les examine, alors que les propriétés de ces deux formes sont très différentes.

Ne pouvoir connaître simultanément la position et la vitesse d'un électron empêche toute supputation sur son devenir. De plus, non seulement les ondes et les corpuscules réagissent très différemment à un même stimulus ou à un même obstacle, mais, sous sa forme ondulatoire, une particule peut être à plusieurs endroits et avoir diverses trajectoires en même temps. Ces étrangetés ont débouché sur les concepts de « flou quantique », « principe d'incertitude » ou « d'indétermination ».

Les lois de la physique classique, celle de l'infiniment grand, établissent des rapports fixes de cause à effet et permettent de mesurer avec précision les propriétés d'un objet. Force est d'admettre que le déterminisme qui régit le macrocosme coexiste avec une autre réalité : celle des probabilités, potentialités, virtualités, et même ubiquités, qui caractérisent en partie le microcosme dont s'occupe la physique quantique.

Si la part du hasard semble importante dans le monde subatomique, celui-ci n'en obéit pas moins à des règles incontournables. Par exemple, le passage d'une particule d'un état énergétique à un autre ne peut pas se faire en dessous d'un seuil minimal précis, et ne s'effectue pas de façon progressive et continue, mais par sauts brusques et codifiés, plus exactement « quantifiés », autrement dit par « quantum », mesure tributaire de la charge énergétique d'une particule et multiple du seuil minimal évoqué[1].

Ainsi, il n'y a pas que du flou en physique « quantique », loin de là ! Simplement, les règles ne sont pas les mêmes qu'en physique classique, qu'elles ne remettent pas en cause puisque leur objet diffère.

Mais voici une autre découverte des plus déconcertantes faite par cette branche captivante de la physique. En séparant deux photons associés[2], les physiciens ont eu la surprise de constater que lorsqu'ils modifiaient l'état du premier photon, le deuxième, même très éloigné du premier, se modifiait instantanément en conséquence, sans qu'aucune communication ait

---

1. Ce seuil minimal est la constante de Planck.
2. Le terme scientifique est « intriqués ».

été possible entre eux. Tout se passe un peu comme si, une fois appariés, ces deux photons le restaient à jamais ; comme si, quelles que soient la séparation et la distance, ils continuaient à ne faire qu'un. À la lecture de ces lignes, des bouffées intempestives d'anthropomorphisme m'envahissent brusquement et j'ai un coup de cœur inattendu pour tous ces sympathiques couples de particules élémentaires qui, même séparées, demeurent en quelque sorte inséparables et – autre détail également intéressant – prennent des directions symétriquement opposées dès qu'une force extérieure les dissocie, comme pour égarer l'intrus, brouiller ses pistes... Le monde si mystérieux des particules m'apparaît soudain d'un grand romantisme !

Ce phénomène n'a longtemps trouvé aucune explication et a même fait l'objet d'un désaccord majeur entre Albert Einstein, père de la relativité, et Niels Bohr, l'un des initiateurs de la physique quantique. La théorie de la relativité restreinte a démontré l'impossibilité de dépasser la vitesse de la lumière et Albert Einstein n'aura pas pu concevoir que deux particules d'abord « intriquées » puis « désintriquées » restent corrélées même à des centaines de milliers de kilomètres l'une de l'autre.

Que voulez-vous, on vieillit ! Surtout, si génial que soit quelqu'un, sa pensée est structurée d'une façon qui favorise des formes de vision et de réflexion plus que d'autres. On peut comprendre qu'Einstein ne se soit pas montré vraiment ouvert à la vision quantique, dont certaines déductions sortaient du cadre de ses théories au point de sembler les contredire en partie.

Au final, force aura été d'admettre que les particules ne sont pas régies par les lois de l'espace-temps telles qu'Einstein les a formulées. Dieu ne joue pas aux dés, avait-il lancé pour couper court à ce qu'il prenait pour des élucubrations. Eh bien si, Dieu joue aussi aux dés, et les sceptiques qui persisteraient à ne pas le croire doivent savoir que les théories de la physique quantique n'ont jusqu'ici jamais été prises en défaut !

Ce qui vaut pour les photons vaut pour les électrons, autrement dit pour toutes les particules élémentaires dont est constituée la matière, laquelle inclut tous les corps, qu'ils appartiennent au règne minéral, végétal, animal ou au genre humain. N'y a-t-il pas là un magnifique sujet de méditation ?

La coexistence de la réalité linéaire de la physique classique et de la réalité globale – « holistique » – de la physique quantique séduit en ce qu'elle semble refléter la complexité de la vie avec ses multiples contradictions apparentes. Elle évoque les dualités Occident-Orient, yang-yin, masculin-féminin, droite-gauche, médecine traditionnelle – médecine alternative, etc. Trop souvent, à l'instar du conflit entre Albert

Einstein et Niels Bohr, ces dualités semblent s'opposer alors qu'elles sont complémentaires. Quand sortira-t-on enfin du réflexe primaire qui pousse à dresser systématiquement certaines différences les unes contre les autres ou à accorder une suprématie à l'une sur l'autre, comme si elles s'excluaient fatalement, alors qu'aucune n'exprime la vérité absolue, qu'il vaut mieux chercher du côté de leur synthèse harmonieuse ou, à défaut, de leur cohabitation pacifique !

*
*   *

Le docteur B. m'a apporté une sorte de matelas pneumatique relié à un transformateur. Il me montre les programmes à activer pour que je reçoive les ondes électromagnétiques pulsées censées améliorer les énergies qui ont besoin de l'être de tel ou tel système, tel ou tel organe.

Son analyse préalable de quelques-uns de mes cheveux et de ma salive l'a convaincu que je souffre d'une intolérance à l'amidon et que mon système digestif est envahi par des parasites très courants, mais pas toujours détectables par les examens classiques : les *Candida albicans*. En fonction de quoi, il me faut impérativement modifier mon alimentation : plus de riz, plus de pommes de terre, plus rien à base de blé, complet ou non, et j'en passe.

Malgré son traitement ciblé et son régime alimentaire radical, je continue de me vider à longueur de journée et surtout de nuit. Inquiet, le docteur B. demande conseil au chef du service de gastro-entérologie du CHU de la ville la plus importante de sa région. Ils se connaissent et tombent d'accord pour m'envoyer à l'hôpital Saint-Antoine consulter un autre spécialiste, ami du premier, afin qu'il m'hospitalise trois jours pour un examen très particulier dont la perspective me révulse. L'éminent confrère me reçoit et pense que mes symptômes sont typiques du lymphome du MALT, dont les douze chimios auraient dû pourtant venir à bout. Sur le point de craquer définitivement, je lui communique les coordonnées de mon hématologue-oncologue, car, m'a-t-il confié avec une lueur de malice dans les yeux, c'est ce que ce dernier ne m'a pas dit qu'il a besoin d'entendre.

L'idée que le lymphome ne soit pas éradiqué et qu'il faille retomber dans le cercle vicieux des chimiothérapies m'accable. J'ai refusé obstinément la coloscopie qui permettrait de savoir où j'en suis. Il me semble en effet que faire avaler quatre litres de purge à quelqu'un qui souffre depuis quatre mois de dysenterie chronique et de la sévère inflammation des muqueuses digestives qui en résulte, le tout assorti d'une distension abdominale considérable, reviendrait à l'achever.

Finalement, avant d'aller plus loin, le gastro-entérologue de Saint-Antoine me maile une ordonnance pour une énième analyse avec recherche d'une bestiole au nom pittoresque de *Clostridium difficile*.

C'est plus affaiblie et plus démoralisée que jamais qu'un soir de novembre, je dois emprunter un chemin inhabituel pour accéder à mon immeuble, dont la porte par laquelle je rentre habituellement ne répond plus au bip. Mes problèmes digestifs menaçant pour la énième fois de tourner à la catastrophe, je suis si pressée d'arriver chez moi que je ne vois pas une petite marche à l'entrée de l'étroit passage qui mène à une autre porte d'entrée, perds l'équilibre et tombe lourdement. Coiffé d'une kippa, un grand gaillard providentiel qui a entendu mes appels au secours vient me relever et m'amène jusqu'à mon palier. Mais ma main droite me fait tellement mal que je dois téléphoner à mon ami JN1 pour qu'il m'emmène aux urgences. Là, on me confirme que je me suis fracturé le poignet droit, mais, heureusement, pas ma pommette éraflée, et on me recommande de rester hospitalisée quelques jours, le temps de recevoir les soins requis et de m'organiser pour ma sortie. L'impression d'être revenue à la case départ m'anéantit et mon moral est plus que jamais dans mes chaussettes.

*
* *

Dès ma sortie de l'hôpital, mon impotence aggravée oblige le dévoué M. à venir chez moi chaque fin de matinée et chaque fin d'après-midi pour s'occuper de mes courses, de mes repas et de la vaisselle. Cela ne suffit pas. Je dois faire appel à ce qu'on appelle une auxiliaire de vie pour faire ma toilette, me déshabiller et m'habiller.

La première fois que je lui ouvre la porte, j'ai la surprise de faire face à une femme voilée. Les voiles sont pour les bonnes sœurs et je suis sinon heurtée, du moins agacée que des femmes affichent ainsi un symbole de la négation de leur féminité et de leur sexualité, sans avoir conscience qu'elles obéissent aveuglément – en se croyant libres – aux injonctions non de Dieu, mais des hommes qui ont cherché à les dominer depuis des siècles. Celles qui croient dur comme fer – à tort, d'après certains spécialistes – que le port du voile est une obligation coranique n'ont pas l'esprit assez critique pour réaliser qu'un texte rédigé par des hommes du VIIe siècle, susceptibles de se méprendre du tout au tout sur la volonté de Dieu autant que de la détourner à leurs propres fins, comporte des recommandations qui valaient éventuellement pour la société et le monde d'alors, mais n'ont plus aucun sens dans ceux d'aujourd'hui. La charia des intégristes musulmans est d'un archaïsme si flagrant et respecte si peu les droits de l'homme – encore moins ceux de la femme – qu'on se demande comment cela ne leur saute pas aux yeux. Mais il n'est pire aveugle que celui qui ne veut pas voir !

Quoi qu'il en soit, j'ai un élan immédiat de sympathie envers F. : le courant semble passer entre nous et je sens que nous allons bien nous entendre. Quand on est âgée, malade, et qu'on a une relative notoriété, il est très inconfortable de se faire déshabiller, laver, rhabiller, par une inconnue, même si elle a l'habitude de ce genre de situation. La confiance que m'a inspirée F. au premier regard, et qui ne se démentira pas par la suite, atténue ma gêne. Elle m'aide avec une efficacité et une rapidité incroyables. Très vite, pendant qu'elle me savonne énergiquement ou m'enfile mes collants, nous papotons comme de vieilles amies qui, malgré quelques désaccords sans importance, sont sur la même longueur d'onde. F. est dotée des qualités qui me plaisent et m'émeuvent le plus chez quelqu'un : la modestie, la discrétion, la délicatesse, beaucoup de bon sens, et une grande conscience professionnelle. Elle arrive même à être ponctuelle alors qu'elle est tributaire des transports en commun et de leurs fréquentes perturbations. Quand l'état de ma main droite se sera suffisamment amélioré pour que je me débrouille seule, nous serons tristes l'une et l'autre de nous quitter.

*
*   *

Je suis rentrée de l'hôpital depuis onze jours lorsque, à ma grande surprise, mon hématologue m'a téléphoné un samedi après-midi. « J'ai les résultats de votre dernière analyse, m'annonce-t-il. On vous a trouvé des bactéries. Allez tout de suite à la pharmacie chercher les antibiotiques X que vous prendrez pendant trois jours, à raison de deux comprimés par jour. »

Je suis si abasourdie que j'en oublie mes problèmes : impossible de mettre mon manteau, impossible de sortir de chez moi et de me retrouver seule dans la rue alors qu'une encombrante attelle emprisonne mon douloureux avant-bras droit. Alertée par téléphone, ma gentille pharmacienne se montre compréhensive et m'apporte à domicile la précieuse boîte de médicaments. Une partie de moi reprend espoir, l'autre redoute tellement une nouvelle déception qu'elle s'efforce de rester neutre. Il faut dire que depuis quelques semaines, je me sens littéralement mourir et réalise chaque jour un peu plus qu'à moins d'un miracle, tout ça va mal finir.

La prise des deux premiers comprimés ne se traduit par aucune modification. C'est le lendemain que le miracle tant espéré semble se produire enfin. Aucune diarrhée pour la première fois depuis quatre mois. Même chose dans les jours qui suivent et, mieux encore, je ne me souviens pas avoir jamais eu dans ma vie un fonctionnement intestinal aussi parfait. Cela durera plusieurs semaines, puis les choses redeviendront peu à peu ce qu'elles ont toujours été, avec les irrégularités et désagréments habituels, mais il n'y aura plus de débâcle. Je n'en reviens pas ! Surtout, je n'en reviens pas qu'il ait fallu autant de temps pour découvrir des colonies d'une bactérie courante (*Campylobacter* et non *Clostridium*) si faciles à éliminer, alors qu'elles me parasitaient probablement depuis deux bonnes années. Lors de ma première consultation, le docteur B. avait évoqué la probabilité de la présence de *Campylobacter*, ce que je m'étais empressée de noter. Que ne m'avait-il alors prescrit de quoi les éradiquer ? Il m'expliquera qu'il n'a pas le droit de prescrire des antibiotiques ou autres médicaments nécessitant une ordonnance sur la seule foi de ses appareils et que, pour rester dans la légalité, il faut qu'une analyse biologique confirme la justesse du diagnostic que ses appareils lui ont dicté.

*
* *

Ces quelques semaines d'amélioration spectaculaire me donnent un aperçu de la façon dont une bonne digestion change l'humeur et, dans une certaine mesure, la vision du monde. Je suis bien placée pour savoir comme les inconforts de cette nature empoisonnent la vie et favorisent l'isolement. Mais est-ce le tempérament anxieux qui affecte à la longue telle ou telle fonction, en l'occurrence celles concernant la digestion, en nouant le ventre, en réduisant la respiration, plus généralement en produisant toutes sortes de tensions chroniques ? Ou faut-il plutôt incriminer une faiblesse génétique de ces fonctions-là qui, entre autres conséquences, aurait celle de rendre inquiet, irritable, asocial ? On est tenté de répondre : « Les deux, mon capitaine »...

Les cultures occidentale et orientale abondent en typologies diverses. Sur des bases qui varient d'une typologie à l'autre, elles distinguent un plus ou moins grand nombre de profils spécifiques qui relient le psychique au physique, le premier découlant du second ou inversement. Les approches de ce genre ont beau avoir chacune leur intérêt et présenter des correspondances, elles n'en restent pas moins réductrices.

Quand je lis dans un article sur les thérapies quantiques : « Nos cellules émettent des informations qui déterminent notre état de santé », je tique un peu sur le terme « déterminent » et préférerais lire que les informations émises par nos cellules reflètent, révèlent ou expriment notre état de santé. Les « émissions cellulaires » sont-elles la cause ou l'effet d'un état de santé qui semble plutôt tributaire d'une combinaison de facteurs multiples : génétiques, physiologiques, psychoaffectifs, environnementaux, pour les plus évidents, sans oublier l'imprévisible et rarement cernable goutte d'eau qui, à un moment X, va faire basculer de la santé à la maladie ou le contraire... ? Se polariser sur l'un de ces facteurs et espérer qu'en le corrigeant, on va corriger du même coup tous ceux auxquels il est inextricablement lié n'est-il pas illusoire, du moins trop partiel ? L'héritage et la programmation génétiques conditionnant en tout premier lieu le terrain d'un individu, avec ses points forts et ses points faibles, cela ne confère-t-il pas une légère suprématie aux médecines globales, dites de terrain, sur les autres, tout aussi indispensables, mais plus ponctuelles, de caractère plus « urgentiste » ? Et que penser des quelques malades en phase terminale qui vivent une NDE[1], laquelle les arrache à la mort et, dans de rares cas avérés, leur fait miraculeusement recouvrer la santé ?

Que de questions ! Même Sherlock Holmes et son docteur Watson auraient été, que dis-je : ont été incapables de résoudre l'énigme de l'œuf et de la poule. Et comment les médecins, toujours débordés, toujours surmenés, trouveraient-ils le temps de répondre à ceux de leurs patients qui se posent des questions parfois judicieuses, parfois aberrantes, sur les maux qui les accablent et sur la meilleure façon d'y remédier, sans se douter de l'infinie complexité des problèmes que certaines interrogations soulèvent ?

---

1. *Near Death Experience.*

Chapitre VII

La position allongée rend l'œdème plus supportable et le diminue momentanément. Dès que ce problème dû à mes anomalies sanguines a commencé à m'incommoder sérieusement, j'ai pris l'habitude de mettre les bouchées doubles le matin en accomplissant aussi vite que possible le maximum de toutes ces choses qui vous incombent quoi qu'il arrive. Comme je me lève aux aurores, le coup de pompe ne manque pas de survenir en début d'après-midi. Si je n'ai pas d'obligations à l'extérieur, c'est le signal pour m'allonger et m'adonner à la lecture en alternant les livres instructifs avec les romans plus faciles d'accès.

Les chimiothérapies m'ayant, entre autres miracles, débarrassée de l'œdème, et la force de l'habitude aidant, je continue, chaque fois que c'est possible, de m'allonger une partie de l'après-midi pour récupérer autant que pour lire. Mais il y a un hic : la fracture de mon poignet droit m'empêche de tenir un livre. Après m'être vainement creusé la tête pour trouver une solution, je m'incline devant la triste réalité et me rabats sur des fascicules où ont été transcrites quelques-unes des communications de Pastor, le Maître spirituel non incarné auquel je me réfère et qui s'est exprimé via le médium Omnia. Je les ai déjà lus, mais leur petit format me permet de les tenir de la main gauche, et ma propension à chercher une explication métaphysique à ce qui m'arrive me fait supposer que la raison cachée de ma chute tourne autour de la nécessité pour moi de progresser en spiritualité grâce, entre autres, à la relecture de ces textes.

Étrangement, certaines transcriptions comportent des fautes d'orthographe, des tournures de phrases malencontreuses et des redites gênantes, au point que j'en ai déjà récrit une partie pour mon compte personnel, afin de pouvoir les relire sans la pointe d'irritation que suscite toute forme dont la médiocrité porte préjudice au fond. Dans ce cas précis, le fond est d'une telle force et d'une telle limpidité qu'en saisir l'esprit ne pose pas problème. Malgré tout, je me demande pourquoi on a confié un travail de cette importance à des gens dont l'inculture et le manque de maîtrise du français sont manifestes. J'apprendrai par la suite qu'il y a eu 580 heures d'enregistrement et que les transcriptions ont été effectuées dans des conditions difficiles par quelques personnes qui s'y sont consacrées de tout leur cœur alors qu'elles avaient une activité professionnelle à plein temps et devaient s'adonner à cette tâche bénévole aux dépens de leurs heures de sommeil. Mais il y a eu aussi, hélas, des transcriptions « sauvages », non autorisées, faites en dépit du bon sens par des gens sans scrupules, ainsi que des transcriptions belges très mauvaises – celles justement de mes fascicules.

*
* *

Quelques années plus tôt, mon amie D. avait eu la générosité de me confier un polycopié d'un contact ayant eu lieu à son intention exclusive lors du solstice de l'été 1988. En gros, ce contact traite du rôle du disciple qui doit enrichir sa « gamme vibratoire », de façon à devenir un relais de plus en plus performant, indispensable entre son environnement humain et les représentants de Dieu. Il s'agit de préparer le terrain pour qu'une nouvelle énergie puisse un jour être envoyée sur notre planète et donne un coup d'accélérateur à l'évolution de l'espèce humaine. Il est plus que probable que D. ait transcrit elle-même la communication, car il n'y a rien à redire à sa rédaction.

Alors que je prends en patience le mal qui me rend provisoirement manchote, désireuse sans doute de me changer les idées en m'ouvrant davantage à la spiritualité, D. m'annonce l'envoi d'un contact de fin novembre 1986 qui s'était adressé à un cercle restreint de personnes triées sur le volet dont elle faisait partie. Étant donné le contexte, j'imagine qu'il s'agit d'un document exceptionnel, que je suis curieuse et impatiente de découvrir tout en me sentant peu digne d'y avoir accès.

La déception sera à la mesure de mon attente. Des considérations générales d'une bien-pensance répandue sur ce que devraient être les rapports entre l'Occident et le continent africain alternent avec des pages incompréhensibles. Cela tient à une formulation brouillonne, mais aussi à la profusion de ce qu'à tort ou à raison je prends pour des concepts hermétiques et brumeux de théosophie, courant ésotérique redevenu à la mode à la fin du xixe et dans la première moitié du xxe siècle grâce à la Société Théosophique, sur laquelle j'ai lu, dans ma jeunesse, quelques livres écrits par des personnalités y ayant joué un rôle majeur, mais qui ne m'ont pas accrochée.

Je m'ouvre de mon étonnement à D. et ne ménage pas mes critiques. Pastor a insisté, me rétorque-t-elle, pour que l'on restitue chacune de ses communications dans leur forme initiale intégrale. Voilà qui m'ébranle profondément et décrédibilise en partie à mes yeux ce qui a été édifié autour de ce Maître. Je rappelle à D. comme il a insisté sur la nécessité de penser par soi-même et de mettre en question ce qu'on vous raconte – y compris ses propres dires. « Rejetez

106

tout ce qui n'en appelle pas à votre raison, de qui que cela vienne », a conseillé Vivekananda, un célèbre sage hindou qui a fait un procès très ironique de la Société Théosophique. Mais D. persiste et signe.

Une fois livrée à moi-même, je suis assaillie de plus belle par mes doutes et réalise à quel point l'existence de Pastor et ses transmissions ont été et restent essentielles pour moi. Je me souviens, entre autres, du dernier contact public dont j'ai transcrit les passages les plus importants dans mon ordinateur à partir d'un polycopié. Cela se passait au solstice de l'été 1994, et en voici la saisissante conclusion :

« *Les communications vont cesser, celle-ci est la dernière, cependant pause ne signifie pas immobilité, mais intériorisation, intensification, construction, nouvelle direction. S'il te plaît de faire ce travail intérieur avec le cycle que nous abordons, fais-le, sinon suis ton propre cycle, mais ne néglige pas de t'intérioriser. À l'intérieur du grand cycle, chacun suit son propre cycle. Il va y avoir une pause dans bien des secteurs. La politique va s'embourber ainsi que l'économie, l'inspiration va se raréfier afin que les vieux systèmes s'écroulent et disparaissent.*

« *Cette pause qui équivaut à quelques secondes pour l'énergie divine, peut représenter des années, des générations pour la terre ou pour certains groupes humains, selon l'énergie à laquelle ils sont reliés. Pause signifie que la créativité ne sera guère possible, mais, grâce aux fissures que la pause aura produites, des graines seront semées d'où un nouvel arbre prendra racine. Le passé doit être détruit. On ne peut pas amorcer le moindre changement dans ce monde humain ci sans avoir eu la précaution d'opérer une énorme destruction, même si cela ne doit aboutir qu'à un petit changement.*

« La bonne volonté est la meilleure carte, la plus grande force, elle permet de tenir un morceau de son âme. Si tu n'éveilles que cela aujourd'hui, tu es déjà sauvé, tu possèdes déjà tout, il te suffit chaque jour d'en être un peu plus conscient.

« L'affectif ne mène pas bien loin : il est une impuissance. Si tu regrettes que je parte, c'est parce que tu ne veux pas être seul et je ne suis pas content de ce constat, car j'espérais quitter un homme libre, ce qui ne remet en cause ni l'amour ni sa profondeur. L'amour est une nourriture véritable et si tu as su la prendre, tu dois te retrouver suffisamment plein pour que n'importe quelle séparation ait lieu. Toute séparation est douloureuse, mais le bonheur à sentir la richesse de l'échange ainsi que de l'héritage que cet échange laisse, est plus important. »

Les contacts entre Pastor et un petit public ont eu lieu en Suisse de 1985 à 1994. Les réponses si éclairantes données aux questions de fond posées par l'auditoire constituent un inépuisable sujet de réflexion, mais ne sont pas faciles à mettre en pratique, malgré leur lumineuse simplicité. Je crains fort de ne jamais y parvenir suffisamment et d'avoir besoin de les relire jusqu'à la fin de mes jours.

Le souvenir me revient soudain des livres passionnants de Carlos Castaneda[1] dans lesquels il raconte son initiation à la spiritualité yaqui par un « sorcier » mexicain de cette origine. Cette initiation a reposé sur un enseignement oral ainsi que sur des expériences éprouvantes en rupture radicale avec les repères du monde occidental. Trop rationnels pour voir là autre chose que les effets connus des champignons hallucinogènes ou du peyotl, les critiques américains et européens se sont saisis de cet argument simpliste pour contester l'authenticité d'un récit censé être autobiographique. Peu importe au fond qu'il le soit ou pas, puisque ce sont la profondeur, l'originalité et la richesse de la vision qu'il véhicule qui en font la valeur.

N'en va-t-il pas de même pour Pastor ? Et comment ignorer les intermédiaires par lesquels il a fallu passer pour mettre en mots ce qu'il avait à communiquer ? D. en sait beaucoup plus long que moi qui, dans mon ignorance des modalités des transmissions, ne peux qu'être troublée par

---

1. En particulier : *L'herbe du diable et la petite fumée*, *Les enseignements d'un sorcier yaqui*, *Le voyage à Ixtlan*, *Histoires de pouvoir*, *La force du silence...*

les différences frappantes de qualité, de clarté et d'intérêt entre elles. Comme je n'éprouve pas le moindre doute à propos de Pastor, mes questionnements se focalisent sur les filtres grâce auxquels il a pu se faire entendre. Seules leurs limitations expliqueraient à mes yeux non seulement les formulations incorrectes, mais aussi le saupoudrage d'un propos de haut niveau avec une mixture indigeste de théosophie, de New Age et autres approches ésotériques ayant mis à leur sauce des concepts hindouistes, bouddhistes et autres. Comment d'ailleurs a-t-on pu associer l'hindouisme, où le polythéisme n'exclut pas le monothéisme, et le bouddhisme, qui rejette formellement l'idée d'un principe créateur ? Et que viennent donc faire là de mystérieuses créatures ou entités surnaturelles telles que les dévas, les seigneurs du karma, mais aussi toute une flopée de Maîtres spirituels exotiques dont je ne peux m'empêcher de me demander s'ils existent, s'ils se trouvent parmi nous, ou s'ils ne sont que de simples fantasmes ? Que signifient les notions sibyllines de hiérarchie solaire, logos planétaire, Temple, Trône, Sceptre, Shamballah, Akasha, que sais-je encore… ? À mon oreille peu familiarisée avec ce genre de terminologie, tout cela sonne comme autant de fausses notes dans une belle mélodie.

Je m'exprime du haut de mon ignorance et de mon inculture à propos du vaste domaine de l'ésotérisme, mais en supposant que ce qui m'apparaît pour l'instant comme un inextricable fouillis soit compréhensible et éclairant pour des auditeurs ou lecteurs avancés de Pastor, cela pourrait semer le trouble dans l'esprit de ceux qui, comme moi, cherchent juste à mieux comprendre le sens de la vie et à évoluer.

La façon dont l'astrologie a été abordée dans quelques-unes des communications constitue une autre dissonance gênante. Tout ce qui est dit à ce sujet s'avère un ramassis d'aberrations à faire dresser les cheveux sur la tête et révèle une ignorance troublante du B.A.-BA de l'astronomie. La pensée me traverse l'esprit qu'Omnia ne disposait pas du vocabulaire astrologique et astronomique qui lui aurait permis de traduire correctement les propos de Pastor à ce sujet. Quoi qu'il en soit, il est, hélas, régulièrement question de l'avènement d'une nouvelle Ère, celle du Verseau, laquelle sort de l'imagination exaltée d'astrologues traditionnels et a été reprise à leur compte par les fondateurs mal inspirés de la Société Théosophique, puis par Alice Bailey, qui en a brièvement fait partie et dont les ouvrages ont été à l'origine du New Age, mouvement qui, comme ceux qui l'ont précédé, aura véhiculé un mélange aussi poétique que fantasque de vérités et de chimères. L'utopie de l'Ère du Verseau vient de la confusion entre les signes du zodiaque et les constellations du même nom, lesquelles, malgré cette malencontreuse homonymie, n'ont rien à voir avec eux. L'astrologie occidentale et le symbolisme tant des signes zodiacaux que des planètes et du Soleil se fondent strictement sur les réalités concrètes, rigoureuses, incontournables, des rythmes et des cycles qui caractérisent le système solaire dont notre planète est indissociable. Même si tout se tient et si l'interdépendance, chère aux bouddhistes, est une loi universelle tout aussi incontournable, des groupes d'étoiles extraordinairement éloignés du système solaire ne sont guère susceptibles de conditionner les Terriens. Dans l'hémisphère Nord, l'avant-dernier signe de la dernière saison qu'est le Verseau correspond à la progression accélérée du jour – de la lumière – annonciatrice de la fin de l'hiver, autrement dit du début du printemps et du renouveau qu'il représente.

Les lecteurs auxquels ces réalités-là sont étrangères se contenteront de sauter les passages qu'ils jugeront trop compliqués pour eux. Mais, sous le coup de l'exaspération, ceux qui sont mieux informés risquent fort de rejeter en bloc l'ensemble des communications, l'incohérence flagrante d'un propos empêchant souvent de prêter foi à l'ensemble auquel il se rattache.

Lorsque je parle de tout cela à D., elle m'assure que l'Ère du Verseau n'a rien à voir avec l'astrologie. Ce ne serait qu'une image symbolique destinée à suggérer la venue sur terre d'un Maître exceptionnel, indispensable au grand changement prévu par le Plan divin pour notre planète, et à l'émergence de l'homme nouveau débarrassé des limitations, œillères, petitesses, de celui qui l'a précédé. Mais, précise D., cette venue ne sera possible que si suffisamment d'êtres humains font d'ici là les efforts requis pour élever leur niveau de conscience de façon à être à même de recevoir cette nouvelle énergie et d'accueillir ce grand Maître de sagesse.

Depuis des temps immémoriaux, le mythe du Sauveur, du Messie, du Nouveau Messie, de l'Homme nouveau, etc., qui va venir changer le monde, se trouve dans de nombreuses religions ainsi que dans les mouvements ésotériques qui en sont issus, et vont jusqu'à prédire l'avènement d'une nouvelle race. Bigre ! Annie Besant, quant à elle, a pris Krishnamurti pour le grand Maître annoncé et est allée jusqu'à l'adopter, sans prévoir qu'il se désolidariserait radicalement de l'« école » théosophique pour mieux dénoncer ses mirages et ses cacophonies.

*
* *

Mon poignet commence à aller moins mal et je ne sais ce qui me pousse à relire *L'Initié*, un livre étrange, en trois volumes, qu'une inconnue m'avait envoyé dans les années 1980 et dont j'ai oublié le contenu, malgré l'assez bon souvenir qu'il m'a laissé. L'auteur s'est voulu anonyme et informe d'emblée de la véracité de son récit. Il y évoque sa relation avec un Maître spirituel, réincarné dans le but de faire évoluer certaines personnes, certains groupes – ce autour de quoi tourne toujours la mission des Maîtres ou Initiés. Comme on peut s'y attendre, ses interventions sont d'une grande sagesse et, s'il y va de l'intérêt particulier autant que général, il recourt en toute discrétion aux pouvoirs hors normes dont il dispose et qui ne sont pas sans rappeler les miracles d'un certain Jésus. Les conseils qu'il donne à des personnes en détresse ressemblent à ceux de Pastor – et à beaucoup d'autres. Ils sont destinés à élargir leur champ de conscience comme à élever le niveau de celle-ci, et vont à contre-courant de la façon habituelle de réagir de la plupart des gens. Par exemple, un mari malheureux parce que sa femme l'a quitté pour quelqu'un de plus jeune que lui est sur le point de la jeter dehors. Le Maître recadre la situation en recommandant de ne pas écouter le mauvais conseiller qu'est l'amour-propre et de se montrer compréhensif et amical. Digne. S'il aime sa femme, c'est la seule façon de réagir, voire même de regagner son cœur, tout au moins de ne pas instaurer un rapport d'inimitié définitive entre eux, comme de ne pas se rabaisser lui-même. Qu'une telle évidence ait besoin d'être rappelée montre à quel point l'émotionnel obscurcit le jugement, à quel point l'amour-propre est antinomique de l'amour. La morale de l'histoire est que la dignité et l'altruisme, pour ne pas dire l'amour – des vertus que Pastor a si souvent mises en avant, lui aussi –, devraient dicter les comportements quelle que soit la difficulté des situations et des circonstances rencontrées.

Hélas, le troisième tome, *L'Initié durant le cycle obscur*, dérape. De mon point de vue en tout cas. Il y est question d'un astrologue, David Anrias, qui a réellement existé. Ce qui sort de sa bouche, ou ce que l'auteur y met – mais qui ressemble à ce qu'Anrias a écrit[1] –, n'a aucun sens et me rappelle les inepties déjà évoquées que l'on trouve dans les contacts de Pastor où il est question d'astrologie... Les points de ressemblance ne s'arrêtent pas là, puisque je retrouve le mélange irritant d'hindouisme, de bouddhisme et même de christianisme, caractéristique de la pensée théosophique, en plein essor à l'époque où a été écrit *L'Initié*... S'il ne s'en réclamait pas officiellement, l'auteur semble pour le moins avoir été sympathisant et sous influence. Quant à l'astrologie, n'ayant visiblement jamais cherché à l'approfondir, il cautionnait d'autant plus David Anrias que ce dernier mélangeait allègrement ce qui en relevait exclusivement avec la spiritualité et le mysticisme.

*
* *

Je savais vaguement que C., son mentor, avait rencontré Omnia, le futur médium de Pastor, quand elle n'était encore qu'une adolescente. Il allait vite percevoir chez elle non seulement

---

1. *Through the eyes of the Masters, Adepts of the five elements, Man and the zodiac...*

un don de clair-audience, mais aussi la faculté plus rare encore de se connecter à des entités de l'au-delà d'un niveau exceptionnellement élevé, et de leur servir de « canal ». Aujourd'hui décédé, C. était un homme d'affaires qui avait adhéré au martinisme, un ordre initiatique fondé en 1891 par Papus, après sa rupture avec la Société Théosophique, et synthétisant divers grands courants de pensée ésotériques, religieux et philosophiques. Comment fit-il la connaissance de cette extraordinaire jeune fille, de prime abord étrangère à ses aspirations et inconsciente de ses propres dons ? Comment réussit-il à la convaincre de l'importance de sa mission et de la nécessité, pour son accomplissement, d'accepter qu'il la prenne entièrement en charge, chez lui, près de Genève ? Je l'ignore. C. a forcément été amené à expliquer à la future Omnia ce qui était attendu d'elle et à lui faire part de sa quête spirituelle personnelle. J'imagine aussi qu'il y avait des livres ésotériques dans sa bibliothèque, dont *L'Initié* – comme par hasard, les traductions françaises ont été éditées en Suisse –, et qu'Omnia a pu lire ce livre-là ou d'autres de la même veine. Comment ne pas supposer que, dans l'état particulier où se mettait Omnia pour se connecter à Pastor, des bribes de tout cela soient ressorties à son insu dans quelques-unes de ses transmissions ? Il me revient que dans *Les Dialogues avec l'Ange*, les transmissions de même nature qui font l'objet de ce livre remarquable n'échappent pas aux références judéo-chrétiennes, omniprésentes dans la Hongrie des années 1940. À mon humble avis, ce serait là l'indication de l'influence inévitable des conditionnements socioculturels du médium sur ses communications.

Je ne suis pas autrement surprise de découvrir que « La Grande Invocation », récitée – souvent par C. lui-même – avant chaque transmission d'Omnia, aurait été « dictée » par un Maître à Alice Bailey après qu'elle a quitté la Société Théosophique, à la suite de certains désaccords, pour fonder sa propre société, Lucis Trust.

Je fais part de mes présomptions à D. Elle connaissait très bien C., s'insurge-t-elle, et il est absolument impensable qu'il ait cherché à influencer Omnia et tout aussi inenvisageable que celle-ci se soit laissé influencer. De mon côté, plus j'y pense, plus je trouve cela plausible. Mais si D. est dans le vrai, alors il faut seulement mettre en cause les transcripteurs, car, à l'instar du mentor d'Omnia, certains d'entre eux sont imprégnés de théosophie. D. elle-même a été franc-maçonne et, à en croire les spécialistes, il y a des recoupements à faire entre martinisme – théosophie aussi par conséquent – et franc-maçonnerie. J'apprendrai plus tard que D. est ou a été aussi martiniste et théosophe.

Quelque peu impatientée par mon obstination à raisonner selon ma logique étroite, D. finira par balayer mes extrapolations en m'expliquant que ce sont les Maîtres – ces entités non incarnées mais à même de se matérialiser quand leur mission l'exige, et qui se situent hiérarchiquement entre l'homme et Dieu – qui, au fil de ses incarnations successives, ont façonné en quelque sorte Omnia afin qu'elle devienne l'instrument parfait dont ils avaient besoin pour communiquer avec les êtres humains prêts à les entendre. D. ira jusqu'à préciser qu'Omnia a exercé sa fonction de « télépathe » (terme que celle-ci préfère à « médium ») ailleurs qu'en France. Alors qu'elle n'en connaissait pas un traître mot, elle s'était exprimée en sanscrit en Inde et en anglais aux États-Unis. D. ajoutera ce détail intéressant : une fois ses transmissions terminées, Omnia ne se souvenait pas de leur contenu.

Si l'on croit à ce genre de chose, mes arguments tombent en effet à l'eau. Mais, bien que je sois prête à y croire, au fond de moi la neutralité l'emporte pourtant : je ne ferme pas la porte mais je ne la laisse pas grande ouverte non plus. La réincarnation, les vies successives, pourquoi pas ? Les Maîtres, le *channelling*... oui, peut-être... oui, sans doute... Mais il ne m'est pas encore possible d'y croire autant que je crois en la réalité insaisissable d'un Créateur. Il ne m'est pas possible non plus d'écarter totalement la pensée que tout le monde peut se tromper : moi, cela va sans dire, mais aussi ceux qui ont une foi si forte que malgré le pouvoir de conviction qui va avec, elle me donne parfois l'impression d'être plus ou moins aveugle. Et je m'émerveille à nouveau que ce soit le même mot – croire – qui, en français comme dans quelques autres langues, exprime autant le doute que la certitude...

*
* *

Chacun sait qu'il faut se méfier de ce que l'on trouve sur Internet, mais force est de reconnaître que certains sites, en particulier l'encyclopédie Wikipédia, sont une précieuse mine d'informations. En cherchant à droite à gauche, j'ai la surprise de découvrir l'identité du mystérieux auteur de *L'Initié*. Il s'agit de Cyril Meir Scott (1879-1970), un Anglais qui a été à la fois compositeur, peintre, poète, écrivain et philosophe. Soit dit en passant, la prolificité de cet artiste sied à la conjonction Lune-Jupiter sous laquelle il est né. Cyril Scott a rédigé une longue introduction au livre *Through the eyes of the Masters (À travers les yeux des Maîtres)* de son ami astrologue David Anrias, qui le lui a dédié, et dans laquelle – tiens, tiens ! – il reproduit des extraits d'un recueil de l'une des directrices de la Société Théosophique, Annie Besant, ainsi que d'un livre d'Alice Bailey – ça alors ! – sur les Maîtres, leur rôle et leur importance.

Finalement, quel que soit l'objet de mes recherches, je retombe toujours sur la Société

Théosophique ou sur l'une de ses personnalités les plus représentatives, Helena Blavatsky – la fondatrice –, Annie Besant, Alice Bailey, toutes trois ayant eu, paraît-il, le pouvoir de communiquer avec un Maître ou un autre, et étant censées avoir transmis sa parole… Étrange ! Étrange, et tellement perturbant de réaliser que tout ce qui a été édifié autour de Pastor et tout ce qui, à mes yeux, altère par moments son propos, est déjà là, presque mot pour mot parfois…

*
*   *

Cela remonte si loin dans le temps que, je ne sais plus comment ni pourquoi, j'ai cherché dans ma jeunesse à en savoir davantage sur la théosophie. Mais le « syncrétisme », autrement dit l'unification des diverses approches mythologiques, religieuses et philosophiques orientales que les théosophes occidentaux ont cherché à faire m'avait paru et, à tort ou à raison, me paraît encore, un embrouillamini suspect dans lequel l'irrationnel submerge trop souvent le reste. Même si je me trompe à ce sujet, il me semble regrettable de mettre dans le même panier trop de choses apparemment incompatibles. Non, décidément, malgré les précieux éclaircissements de D., les intrications entre le fourre-tout théosophique et certaines

communications de Pastor ont du mal à passer. Dois-je incriminer mon inculture en matière
d'occultisme ? Ou une cérébralité trop envahis-
sante ? Dois-je mettre en question ma méfiance
instinctive devant tout ce qui me semble man-
quer de clarté et de cohérence ?

Mais, comme je l'ai remarqué à propos de
Carlos Castaneda, quelle importance, après
tout, s'il s'avérait que l'origine des messages
de Pastor ne soit pas celle qu'avancent ceux
qui les ont diffusés et qui croient dur comme
fer à l'ésotérisme complexe qui y est inhérent
et dont ils sont pétris ? Dans un autre ordre
d'idées, cela aurait-il la moindre importance
que la teneur de ces messages ne soit pas aussi
originale que je l'ai d'abord cru ? Pastor a été le
premier à informer ses auditoires que ce qu'il
disait n'avait rien de nouveau et que tout son
enseignement avait déjà été donné par d'autres
depuis la nuit des temps... L'essentiel n'est-il
pas que sa façon d'aborder certaines grandes
questions, certains problèmes humains de fond,
me parle plus que d'autres, et qu'elle ait eu
le pouvoir de provoquer en moi les prises de
conscience dont j'avais besoin, là où d'autres
enseignements aussi valables dans l'absolu
n'avaient fait que glisser ?

*
* *

Et Dieu dans tout ça[1] ?

Ne le perd-on pas un peu de vue avec cette multitude déroutante de Maîtres, Initiés et autres entités célestes plus extraordinaires, plus sages les unes que les autres, qui surgissent de partout et nulle part, à toute époque, hier, maintenant, tout à l'heure, demain, et dont la fonction serait d'aider l'humanité en l'éclairant assez pour qu'elle grandisse ?

Quand on regarde autour de soi et que l'on constate la progression effrayante de la démagogie et de l'obscurantisme, dus à l'ignorance de trop de gens prisonniers de leurs blocages, de leurs frustrations et des ressentiments aveuglants qui en découlent – sans parler des désinformations médiatiques –, on se dit que le monde nouveau n'est pas pour demain et que la nouvelle énergie, le « Super-Maître » au « super-pouvoir » vont devoir patienter encore un peu.

Et Dieu dans tout ça ?

Est-Il aussi contrariant et paradoxal que tous ces hommes qui L'ont conçu à leur image : s'éloigne-t-Il dès qu'on cherche à Le serrer d'un peu trop près ? Puisqu'il est désormais avéré, grâce à la physique quantique, que Dieu joue

---

1. Un célèbre animateur de télévision et de radio, Jacques Chancel, estomaquait certaines des personnalités qu'il interviewait en leur posant cette question à brûle-pourpoint.

aux dés, il est permis d'imaginer qu'Il joue aussi à cache-cache avec le gracieux concours de tous ses magistraux intermédiaires, représentants et serviteurs : Djwal Khul, Rakoczi, Morya, Koot Hoomi, Hilarion, Maitreya, Sérapis, le Mahachohan, Christ... et même Pastor[1]...

_____

1. Pastor n'est qu'un pseudonyme. Des Maîtres différents se seraient exprimés sous ce nom.

Chapitre VIII

La question des raisons de mon sursis ne m'obsède pas, mais reste dans un coin de ma tête. Par un texto collectif, D. informe ses amis que sa sœur vient d'être transportée aux urgences pour un infarctus et nous demande à tous de prier. Elle m'intègre ainsi d'office dans un cercle dont les membres pratiquent intensivement la méditation et la prière, volant chaque fois qu'ils le peuvent au secours de ceux qui en ont besoin. Cela me touche et m'honore, mais m'embarrasse plus encore, car je pressens qu'il va m'être difficile de prier pour quelqu'un que je n'ai jamais rencontré et dont j'ignore tout. Et, en effet, lorsque je m'y efforce, je n'arrive pas à vibrer intérieurement autant qu'il le faudrait. Malheureusement, ces choses-là ne se commandent pas. Une fois sa sœur tirée d'affaire, D. enverra à tout le monde des remerciements que j'aurai l'impression culpabilisante de ne mériter en rien. Mais il faut un commencement à tout et les débuts sont forcément maladroits... Il n'en reste pas moins que je ne crois pas avoir un jour la capacité de mettre dans une prière pour un total inconnu – autant dire pour une abstraction – la ferveur que je ressens en faisant la même chose pour des proches ou même pour moi quand je touche le fond et n'ai aucun autre recours que la prière.

D. m'exhorte à « méditer ». Cela fait longtemps que je me pose des questions sur ce qu'est la méditation. Il m'avait semblé en percer le secret en arpentant les allées des jardins de Bagatelle. Le ravissement où me plongeait instantanément la vue des arbres, des buissons, des fleurs, des paons... me déconnectait de mes préoccupations habituelles pendant la durée de ma promenade. Comme par magie, cet environnement paradisiaque vidait mon mental de toutes les pensées qui, de la moins superficielle à la plus futile, l'envahissent en permanence en se court-circuitant sans cesse.

La beauté, quelle qu'en soit la forme, a toujours été à mes yeux la manifestation du divin, plus simplement : une preuve de l'existence de Dieu. À quoi bon développer des argumentations plus tirées par les cheveux ou plus à côté de la plaque les unes que les autres pour justifier la croyance ou l'incroyance en un principe divin ? Il suffit de regarder... D'écouter, de sentir... Il suffit de s'ouvrir...

Tout grand thème mélodique, que ce soit celui d'un adagio de musique classique ou d'une chanson, m'a toujours semblé d'inspiration divine. Ayant en plusieurs occasions évoqué ce sentiment, j'avais été surprise et attristée d'entendre une journaliste, croisée parfois au Théâtre des Champs-Élysées ou Salle Pleyel, me mettre en boîte dans une émission de radio à propos de ce qu'elle qualifiait de simplisme.

Oui, cela m'étonnait beaucoup qu'une mélomane ne ressente pas au plus profond d'elle-même la relation entre une belle musique et la dimension divine. Je posai récemment la question à un ami, pianiste classique réputé, et fus heureuse d'apprendre que pour lui aussi c'était une évidence absolue. Si la beauté a un tel pouvoir sur nous, si elle nous bouleverse et nous « transcende » autant, n'est-ce pas parce qu'elle nous fait toucher du doigt, ou plutôt de l'âme, les hauteurs vers lesquelles nous aspirons confusément à nous élever ?

L'être humain a sur l'animal l'avantage de pouvoir créer. Mais qui voudrait de l'existence souvent encore plus tourmentée que la moyenne de nombreux grands créateurs, entre autres de compositeurs de génie tels que Beethoven, Schubert, Schumann, Chopin ? Les douleurs insupportables par lesquelles passe toute femme qui accouche ne durent qu'un temps, alors qu'il y a si peu de répit pour un grand artiste. Le bonheur indicible que procure l'accomplissement d'une œuvre est sans doute vite émoussé par la nécessité intérieure d'aller plus loin, de trouver une expression musicale plus inventive, qui s'approche davantage encore de la perfection...

De son propre aveu, Beethoven, dont l'existence a été « misérable[1] », a résisté à la tentation du suicide parce qu'il avait foi en son art et pensait avoir beaucoup à lui apporter. Même quand des artistes de cette dimension ne faisaient pas nommément référence à Dieu, ils étaient habités par la Transcendance, investis par elle, et une force plus grande qu'eux les poussait à en offrir au monde l'émanation, quoi qu'il leur en coûtât.

*
* *

D. me recommande un petit rituel comme préalable à la méditation, mais aussi à l'écriture, en particulier dans les moments où je suis en panne d'inspiration. Elle préconise de mettre de l'eau dans une coupe, d'allumer une bougie, et de penser à Pastor – notre Maître spirituel commun. Autre recommandation : essayer de visualiser la couleur dorée, dont la vibration serait régénératrice et purificatrice.

---

1. Testament de Heiligenstadt, rédigé vingt-cinq ans avant son décès... Beethoven y dévoile, avec une déchirante simplicité, son extrême souffrance.

Un jour où un mail groupé demande à tous les destinataires de se concentrer à 14 heures précises, de façon à favoriser un travail important sur lequel aucun détail n'est donné, je me sens à nouveau embarrassée. Avant l'heure dite, le coup de pompe auquel je suis quotidiennement sujette m'oblige à m'allonger. Désormais, quand je ferme les yeux, je fais attention à ce qui apparaît derrière mes paupières, en espérant que ce n'est pas seulement tributaire de la lumière extérieure. Si elle est faible, je vois – comme tout le monde, j'imagine – un fond sombre uniforme, souvent d'un rouge-violet foncé qui frise le noir. C'est à peu près le cas cette fois-ci, lorsque j'aperçois subitement une tache jaune vif qui se détache de ce fond et s'agrandit, comme si elle se rapprochait à grande vitesse. J'ignore tout des techniques de visualisation, mais j'ai le réflexe instinctif de rediriger par la pensée ce jaune vif vers D. Un peu rassurée, je me dis qu'à 14 heures, il me suffira de faire la même chose. Allez savoir ! Il faut bien essayer et se résigner à passer par toutes sortes de tâtonnements décevants. Malheureusement, cette étrange touche de couleur ne reviendra ni à 14 heures ni par la suite.

Quand je rends compte de mes médiocres tentatives à D., elle a une réaction stimulante qui m'encourage à poursuivre mes efforts. Autre chose m'y incite. Mon fils est dans une phase de transition où la perte d'une partie de ses repères l'affecte et le déstabilise profondément. Quand il me téléphone pour s'épancher, je remercie le ciel d'être encore là pour lui, malgré les paroles dérisoires que je m'entends lui dire. Mais je n'ai aucune difficulté à mettre la plus grande ferveur dans des prières où je demande qu'on lui envoie la lumière et l'énergie dont il a besoin, pour voir plus clair, prendre les meilleures décisions et être en mesure de les mener à bien. Je forme aussi le vœu qu'il transforme son mal-être afin que celui-ci devienne une source d'inspiration pour sa musique.

*
* *

Mon ami G. me prévient que, à sa demande expresse, il a donné mon adresse e-mail à Muriel, que j'ai croisée deux-trois fois, trente-cinq ans plus tôt, lorsqu'elle et lui vivaient ensemble, en particulier quand elle l'avait accompagné en Corse où il était mon témoin à mon drôle de mariage. N'ayant pas revu Muriel depuis, je garde le souvenir d'une adorable et ravissante jeune fille. G. lui a sans doute parlé de ce par quoi je suis passée physiquement en 2015. Toujours entre deux avions, il m'avait d'ailleurs rendu une longue visite à la clinique, ce qui, pour quelqu'un d'aussi débordé, était une preuve d'amitié qui m'avait beaucoup touchée. Muriel, qui vit depuis longtemps aux États-Unis, a maintenant cinquante-sept ans et est au plus mal. Elle m'informe qu'à la suite d'une hospitalisation de plusieurs mois pour onze fractures graves et de multiples brûlures, dues à un terrible accident de moto, on vient de lui trouver à l'arrière du nez une tumeur cancéreuse très agressive qui a commencé à envahir sa boîte crânienne, provoquant une semi-surdité et des migraines vingt-quatre heures sur vingt-quatre. La façon dont elle me dit qu'elle m'envoie son amour et a besoin du mien me bouleverse de fond en comble. Je me mets aussitôt à prier de tout mon cœur pour que, quelle que soit l'issue de son cancer, on l'aide dans son épreuve et qu'elle souffre le moins possible.

Pendant que je formule ma supplique, une pensée me traverse l'esprit. Ou n'est-ce pas plutôt l'entité à laquelle je m'adresse qui me la souffle ? La première aide à apporter à Muriel ne serait-elle pas d'essayer de la réconforter en lui manifestant autre chose qu'une sincère compassion, comme je l'ai fait dans un premier mouvement ? Je pourrais par exemple mettre en avant la dimension initiatique de la maladie qui amène des remises en question salutaires, modifie une échelle de valeurs en partie dépassée, requiert un lâcher-prise dont on n'a pas été capable jusque-là... Je pourrais aussi lui faire valoir que la maladie est l'indication que le corps et l'esprit s'efforcent de rejeter ce qui les intoxique. Et puis, Muriel serait sûrement intéressée d'apprendre que j'ai alerté mon amie D., qui a ensuite prévenu son groupe. Avec le concours de notre Maître spirituel, nous allons tenter de lui envoyer les énergies nécessaires pour qu'elle gagne son combat. Si elle a tenu à m'écrire, n'est-ce pas parce qu'elle espère qu'en tant que miraculée, je puisse contribuer à ce qu'elle le soit à son tour, en la faisant bénéficier de ce dont j'ai bénéficié moi-même ?

Mais on a beau être tous pareils, on est tous différents aussi, et j'ai du mal à trouver les mots susceptibles de donner un peu d'espoir à quelqu'un que je connais à peine et qui touche le fond de la détresse. J'écris difficilement et une fois qu'il me semble avoir trouvé les mots, leur agencement me prend un temps fou. Mes phrases ne me paraissent jamais avoir la sim-plicité, la clarté et la profondeur que requiert leur objectif. Avoir été moi-même dans un état quasi désespéré devrait pourtant me faciliter la tâche. Toutes affaires cessantes, je cherche donc une façon de communiquer à Muriel ce qui m'est venu à l'esprit, en tenant compte de l'état d'extrême vulnérabilité dans lequel mettent la maladie et la proximité de la mort. Il faut juste que je ne me laisse pas décourager par les doutes que distille un sens perturbant de la complexité.

« La parole et la vérité sont de l'énergie », dit Pastor, et la première ne devrait jamais aller sans la seconde, ce qui n'est hélas pas une évi-dence pour tout le monde. En l'occurrence, la vérité implique l'authenticité mais n'en est pas synonyme, puisque l'on peut être sincère et dire des choses erronées. Et on en revient, une fois de plus, au discernement sans lequel il n'y a pas de parole « vraie » : celui tant du contenu que de ce qu'il est judicieux de dire ou de taire à la personne à laquelle on s'adresse, et du moment propice pour cela.

Quand je pense à tous ceux qui paient chèrement de leur personne pour aider les autres, qui s'occupent par exemple d'un handicapé ou d'un grand malade, je me dis que me faire un tel monde de quelque chose d'aussi insignifiant qu'un courriel frise le pathétique, voire le ridicule.

Je me souviens de ma mère rendue en partie impotente par la maladie de Charcot et me mettant en devoir de faire sa toilette. Cela m'avait révolutionnée. Pas seulement parce qu'elle était plus grande, plus lourde que moi et que je n'avais pas la force physique de faire ce qu'elle me demandait – non plus d'ailleurs que le minimum d'habileté manuelle nécessaire –, mais parce que la voir dans son plus simple appareil et inverser ainsi notre rapport m'était psychologiquement impossible. De plus, elle savait bien qu'il était préférable à tous points de vue que je lui trouve une auxiliaire de vie. Avec le recul, je réalise que son besoin de m'éprouver, de me défier, avait quelque chose de pervers qui me bloquait plus encore que le reste.

Infliger à mon fils ou à un proche ce genre de situation serait pour moi – et sans nul doute pour eux aussi ! – un cauchemar absolu que je suis déterminée à éviter à tout prix. Je me demande comment font ceux qui n'ont pas le choix et doivent nettoyer, changer, alimenter, un parent âgé devenu dépendant. Cela ne pose pas de problème majeur à quelques-uns d'entre eux, et tant mieux, mais la réticence inavouable que m'inspire cette obligation me porte à considérer comme des saints ceux qui s'en acquittent de leur mieux, qu'elle leur paraisse normale ou contre nature.

Lorsqu'un film ou un reportage télévisé montrent des images trop crues ou trop violentes, un cri horrifié m'échappe presque toujours – j'ai fini par remarquer que je murmurais chaque fois « oh non, non, je n'aime pas ça ! » –, je ferme les yeux et me bouche les oreilles le temps que ça passe, ou je zappe. Je ne me rappelle pas quand eut lieu ce dramatique accident d'un train dont les freins lâchèrent à son arrivée en gare de Lyon, provoquant de terribles collisions et faisant de nombreuses victimes. « Si j'avais été sur le quai, confiai-je à un ami, je n'aurais jamais pu porter secours aux victimes tellement les cris de souffrance, la vue du sang, des blessures, des membres écrasés ou sectionnés, de la mort, m'auraient été insoutenables. Il me semble que je me serais évanouie ou que j'aurais perdu la raison ou pris mes jambes à mon cou ! » Mon ami eut ce cri du cœur : « Mais

134

moi aussi ! » Cela me déculpabilisa quelque peu, et nous tombâmes d'accord : la seule chose que nous pourrions faire dans cette situation serait de courir alerter les secours, ce qui est mieux que rien...

*
* *

Étrangement, plusieurs de mes relations, certaines très proches, d'autres plus éloignées, traversent une passe difficile en même temps. Les problèmes de cœur me touchent davantage encore que ceux en rapport avec la santé, comme si mes vieilles blessures, mal cicatrisées, saignaient au moindre rappel. Anéantie par une séparation récente, une amie chère me confie qu'elle écoute souvent une chanson que j'ai enregistrée dans ma jeunesse et qui la fait pleurer. L'ayant un peu oubliée, je me la remets en mémoire et ne peux retenir mes larmes à mon tour en ressentant comme hier ce par quoi passe mon amie : le couperet du « never more », l'avenir gris, morne et plat qu'il étale à l'infini devant soi, à l'image d'un désert où le seul espoir permis est que l'agonie ne soit pas trop lente...

J'aimerais dire à cette amie si malheureuse que la vie, avec son lot de mauvaises comme de bonnes surprises, avec ses petites et grandes joies, finit toujours par reprendre le dessus. Elle le sait, mais elle sait aussi qu'avant d'en arriver là, les heures dureront des jours, les mois des années, le vide auquel elle doit faire face une éternité... Elle sait surtout que, même quand elle aura réussi à en recoller tant bien que mal les morceaux, son cœur ne battra jamais plus comme avant...

On ne peut pas rendre le sourire à quelqu'un qui subit ce chemin de croix, juste lui parler de toutes les minuscules choses susceptibles de lui changer les idées l'espace d'un instant et lui proposer les échanges un tant soit peu intéressants ou divertissants qui se présentent. Si le terrain de la personne en souffrance est réceptif, la brancher sur la spiritualité lui offre parfois des perspectives qui lui permettent de relativiser son douloureux sentiment d'exclusion... Que faire d'autre pour cette amie qu'être là, à ma façon, chaque fois que c'est possible, comme pour ces deux autres jeunes femmes que j'aime beaucoup et qui passent par des tourments similaires ?

Il y a fort longtemps, l'un de mes proches ne se remettait pas d'une rupture sentimentale. Il était devenu si dépressif que mon mari et moi crûmes bon de l'héberger. Ponctuel d'habitude, il arriva en retard à la maison, et j'avais craint un moment qu'il ne se soit jeté par la fenêtre, d'autant plus que son téléphone ne répondait pas. Pour changer les idées de cet ami musicien, je me mis en devoir de lui faire découvrir quelques trésors mélodiques. Faisant preuve d'une absence de réaction inquiétante depuis sa rupture, il se laissa passivement installer dans le canapé de la pièce à musique, et je me rendis dans la cabine derrière lui où se trouvaient la platine et les disques. En entendant ma sélection, mon espoir qu'elle sorte un peu mon malheureux ami de son marasme se renforça. Je le rejoignis au bout d'une trentaine de minutes pour constater qu'il était resté exactement dans le même état de prostration que lorsqu'il avait pris place. Il ne leva même pas la tête quand j'arrivai face à lui et eut cette phrase terrible : « Qu'est-ce que je vais devenir ? » Il n'avait manifestement écouté aucune des merveilleuses chansons que j'avais choisies pour lui, absorbé qu'il était par son incommensurable détresse.

Par la suite, mon mari et moi vîmes *Drôle de couple (The odd couple)*, une comédie américaine de Gene Saks au début de laquelle on voit Felix – joué par Jack Lemmon – marchant dans la rue, l'air absent et toute la misère du monde semblant peser sur ses épaules. Hébété, il entre dans un hôtel et, à la façon dont il insiste pour avoir une chambre au dernier étage, on comprend tout de suite qu'il a l'intention de se défenestrer. Mais quand il essaie d'ouvrir la fenêtre à guillotine, elle se bloque, et quand il s'efforce en vain de la débloquer, il déclenche un lumbago qui le plie en deux. Finalement, il atterrit chez Oscar, son meilleur ami – interprété par Walter Matthau –, justement en train de s'inquiéter à son sujet, car, ayant appris que sa femme l'avait mis dehors, il en parlait à trois vieux potes tout en jouant aux cartes et en enchaînant avec eux les cigarettes et les bières dans un joyeux désordre. Comme l'existence de Felix est entièrement focalisée sur sa femme et sur leurs enfants, Oscar, qui le soupçonne de penser au suicide et sait qu'il n'a nulle part où aller, le force à rester chez lui. Mais des incompatibilités foncières entre les deux hommes vont vite rendre la cohabitation infernale. Felix est en effet un maniaque compulsif de l'ordre et de la propreté, alors qu'Oscar mène l'existence d'un divorcé bon vivant et décontracté qui se fiche pas mal que la vaisselle sale marine dans l'évier depuis plusieurs jours ou qu'il y ait des cendres un peu partout… Avant d'avoir la révélation des « TOC » de son ami, Oscar s'emploie à le dérider en l'emmenant dîner dans un endroit agréable où il y a de jolies filles… Sur leur chemin, il évoque toutes sortes de choses susceptibles de l'émoustiller. Mais à la mine obstinément défaite de Felix, on devine qu'il n'est pas à même d'entendre quoi que ce soit. Aussi, quand le volubile et jovial Oscar lui jette un coup d'œil pour voir si sa tirade enthousiaste a eu l'effet escompté, c'est sur un ton sinistre à souhait que Felix, le regard éteint et tourné vers lui-même, pose la question fatidique : « Qu'est-ce que je vais devenir ? » Dois-je l'avouer ? Cette scène nous a tellement fait rire, mon mari et moi, que nous nous la sommes repassée plusieurs fois de suite.

Depuis une vingtaine d'années, j'ai souvent revu *The odd couple* qui montre avec un humour hilarant que chercher à distraire quelqu'un de désespéré est mission impossible, et, dans un autre ordre d'idées – plus instructif –, que certaines incompatibilités peuvent finir par rendre insupportable la vie à deux et faire prendre peu à peu en grippe un grand ami comme un grand amour.

*
* *

On se plaint en permanence et à juste titre du coût de la vie et de l'insuffisance du pouvoir d'achat. Tout ne s'achète pas, mais tout se paie et tout est hors de prix. L'amour se paie chèrement, l'amour-désir jaloux, possessif, exclusif, en particulier. La langue française utilise d'ailleurs des mots ambigus à propos des sentiments : « tomber » amoureux de quelqu'un, « éprouver » de l'amour pour lui, vous le rend « cher » entre tous... Les termes « tomber » et « éprouver » introduisent ainsi la notion de souffrance dans un état auquel nous avons tendance à associer le bonheur et qui devrait en être la meilleure source, tandis que le mot « cher » qui qualifie ceux qu'on aime, en particulier l'être « chéri » entre tous, implique que la relation avec lui va coûter... cher.

Dès que l'amour-désir semble réciproque, on le paye autant qu'il se doit pour toute denrée rare... Je me souviens de Joha Heiman, dite « Püppchen », la compagne de Georges Brassens pendant trente-cinq ans. Il disait qu'elle n'était pas sa femme mais sa déesse. Elle lui inspira, entre autres : « La non-demande en mariage », « J'ai rendez-vous avec vous », « Je me suis fait tout petit »... Quand, après la mort de cet immense artiste qui était aussi un homme d'exception, je rencontrai Püppchen, elle me confia avec une émouvante candeur qu'elle avait passé sa vie à se sentir indigne de lui et à se torturer à l'idée de le perdre, si bien que maintenant qu'il n'était plus là, elle en éprouvait presque du soulagement. Elle a été enterrée à ses côtés.

Bien que n'ayant jamais pris de drogues, je pense depuis longtemps que l'état amoureux a des effets comparables chez trop de gens : exaltants dans un premier temps, où l'on ressent une totale félicité, où l'on plane littéralement, destructeurs dans un second, avec le retour brutal sur terre qui révèle les incompatibilités ainsi que les décalages entre l'élu de son cœur et l'image idéalisée qu'on en avait... Rares cependant sont ceux qui échappent à une addiction qui charge implicitement l'heureux ou malheureux élu de renouveler sans cesse l'état de grâce du début, sans imaginer qu'il attend probablement la même chose de vous ou, à l'inverse, que sa quête et ses intentions sont différentes des vôtres...

Le drogué en manque n'aspire qu'à avoir sa dose pour retrouver le septième ciel qui le déconnecte des réalités auxquelles il cherche à échapper, et c'est pour les mêmes raisons que tant d'amoureux s'accrochent à la présence, au désir, à l'apparente réciprocité des sentiments du partenaire privilégié auquel, comme le drogué à sa drogue, ils prêtent le pouvoir de combler leur vide intérieur, du moins ce qu'ils ressentent comme tel. Dans les deux cas, l'immaturité fait courir désespérément après un paradis imaginaire qui empêche de vivre et gâche presque toujours la vie du partenaire et des proches... « L'amour n'est le plus souvent qu'un immense égoïsme... La plupart des êtres humains sont incapables de donner et recevoir... », a écrit Sandor Marai dans *Métamorphoses d'un mariage*.

« Le bonheur est une illusion, a souligné Pastor[1]. Ce qui construit, ce n'est pas le bonheur de se marier ou d'avoir des enfants, mais les concessions que l'on fait par rapport à l'autre, les sacrifices, les difficultés, efforts, contraintes, fatigues... » Cela ne fait pas de mal de rappeler des évidences premières, même si elles sont plus faciles à dire et à lire qu'à intégrer !

---

1. Dernier contact : 26 juin 1994.

*
* *

Lors de l'une de nos longues et intéressantes conversations téléphoniques hebdomadaires, D. évoque en passant Daniel Meurois et Anne Givaudan, des auteurs de livres ésotériques dont je n'ai jamais entendu parler. Ma curiosité éveillée, je me procure pour commencer les trois livres de poche que je trouve sur un site qui livre les commandes avec une appréciable rapidité.

Suivant l'ordre chronologique, je commence donc par *Terre d'émeraude,* dont le premier tiers, assez bien écrit et cohérent, atténue ma méfiance innée vis-à-vis des visions trop féeriques de la vie et de la mort, même si ma perplexité reste grande. Les auteurs racontent leurs « voyages astraux », dont j'aurais rejeté d'emblée la possibilité si mon mari et l'un de mes meilleurs amis, deux hommes aussi peu portés l'un que l'autre aux élucubrations fantasmagoriques, ne m'avaient fait, il y a longtemps, la stupéfiante confidence d'être sortis une fois de leur corps. Cette étrange expérience s'était arrêtée là – heureusement –, et c'est tout ce dont ils prétendaient se souvenir – malheureusement. Je projette malgré tout de les relancer dès que possible sur le sujet. Probablement ont-ils douté d'eux-mêmes et se sont-ils demandé jusqu'à quel point ils n'avaient pas rêvé ; ils ont dû se dire aussi que s'ils en parlaient, personne ne les croirait, tout le monde se moquerait d'eux... L'un des deux me confiera ultérieurement s'être juste retrouvé au plafond, d'où il voyait son corps. Il n'y avait rien eu d'autre.

Les auteurs de *Terre d'émeraude* nous racontent que notre corps physique est animé par un corps dit « astral », son double immatériel, auquel la décorporation – ou sortie du corps –, qu'ils ont expérimentée par surprise, sans avoir cherché quoi que ce soit, donne la possibilité d'accéder instantanément au monde « astral » avec lequel il est en affinité. Plus immatériel que celui que nous connaissons, ce monde parallèle est décrit comme une sorte de paradis où évoluent des âmes, visibles sous forme de corps de lumière, dont la communication se fait par voie télépathique. Le corps astral des auteurs explore ce monde, apparemment merveilleux, avec l'aide d'une créature étrange de couleur bleue qui leur sert de guide et donne – télépathiquement – des explications sur l'après-vie. « Qu'une âme ne croie en rien d'autre que le néant et elle créera sa propre obscurité… Que l'âme croie en quelque chose, et rapide sera son voyage vers le Pays de la Lumière Blanche… »

Il est bien sûr question de la réincarnation. Le guide assure que l'être humain a de nombreuses vies, et son discours n'est pas sans rappeler ceux des Maîtres ou Initiés. Éblouis par la beauté, la lumière, la paix, qui règnent dans le monde astral, les deux voyageurs s'étonnent que les âmes qu'ils y côtoient ne souhaitent pas y rester éternellement.

Le guide leur explique alors que la perfection finit par ennuyer et que le corps de chair accélère l'évolution à laquelle le corps de lumière donne un coup d'arrêt. La soif d'apprendre pour progresser serait donc la motivation première pour retrouver un corps physique, indispensable au retour sur terre.

Hormis les descriptions qui donnent l'impression de lire un ouvrage de science-fiction ou de littérature fantastique, tout cela n'est guère nouveau, puisqu'il existe une quantité phénoménale de livres ésotériques, inspirés des textes hindouistes ou bouddhistes, qui développent en long et en large les modalités, raisons, implications, de la réincarnation, laquelle est une évidence pour la majorité des Orientaux, ce qui fait beaucoup de monde !

Daniel Meurois et Anne Givaudan abordent aussi à leur façon une autre théorie qu'ils présentent comme une réalité. Il y a donc le corps physique que nous connaissons et son double immatériel, le corps astral, mais il y aurait aussi le corps éthérique, qui serait le « médiateur entre l'âme et le corps physique » et baignerait, comme tout l'univers, dans l'éther[1], sorte de cinquième

---

1. Jusqu'à Einstein, les physiciens ne concevaient pas que la lumière se propage sans support et utilisaient l'hypothèse d'un support impalpable, nommé « éther ». Einstein a réduit à néant la notion d'éther en démontrant que la lumière n'avait besoin d'aucun support pour se propager.

élément impalpable qui enregistrerait tout ce qui se passe sur terre à l'échelle tant individuelle que collective.

Je pense à mon ordinateur, à ce que j'accumule, souvent inutilement, sur le disque dur, aux documents perdus de vue qu'il m'arrive de sauvegarder à nouveau et que je n'ai jamais le temps de lire ou relire... Un vertige me saisit à l'idée de l'inimaginable et infinie quantité d'informations que contiendrait cet étrange éther s'il existait et si les propriétés enregistreuses que lui attribuent de nombreux ésotéristes étaient réelles...

L'idée de mémoire éthérique a été émise et développée par Helena Blavatsky, l'une des fondatrices de la Société Théosophique, dans son livre *Isis dévoilée*. Elle a donné le nom d'« Archives akashiques » à cette mémoire supposée, en se référant au concept d'Akasha que l'on trouve dans les textes hindous anciens, qui semblent décidément avoir été le creuset où la Société Théosophique a puisé la plupart des éléments qu'elle a synthétisés à sa façon pour élaborer des théories qui allaient inspirer de nombreux chercheurs et auteurs ésotériques dans le monde entier.

Malgré ces références sur lesquelles je retombe toujours sans le vouloir, malgré ma découverte que des livres antérieurs d'un dénommé Lobsang Rampa, à commencer par

Le Troisième Œil, best-seller mondial dans les années 1950, ont traité des mêmes sujets que le tandem Meurois-Givaudan, et bien que Lobsang Rampa ait été jugé comme un imposteur par de nombreuses personnalités, dont certaines aussi fiables que le treizième Dalaï-Lama, je continue de lire *Terre d'émeraude* avec plaisir. J'en arrive même à me dire : « Pourquoi pas ? Et si les choses se passaient vraiment ainsi... Comment savoir ? »

Mais patatras ! Voilà que je bute sur la même pierre d'achoppement que celle qui m'avait tellement déstabilisée dans certaines communications de Pastor : l'astrologie. Quel dommage qu'il ait pris fantaisie à Daniel Meurois et Anne Givaudan de mettre de totales inepties dans la bouche de leur « guide bleu » (humour volontaire ou involontaire de leur part ?) ! Jusqu'ici, ils ne lui avaient fait dire que des choses édifiantes, si bien que je me sentais prête à croire qu'il pouvait y avoir quelque chose de réel dans leurs extrapolations « astrales ». Pour ne citer que la plus flagrante de ces inepties, « Vulcain », planète imaginaire, est placé sur le même plan que Saturne, Vénus ou la Lune, des planètes bien concrètes, celles-là.

Moi qui, depuis les années 1970, m'intéresse de près à l'astrologie, je n'avais jamais entendu parler de Vulcain alors que *Terre d'émeraude* a été publié en 1983. Une brève recherche m'apprend que, pour justifier certaines anomalies de Mercure – planète la plus proche du Soleil –, Urbain Le Verrier, un astronome du XIXᵉ siècle qui découvrit l'existence de Neptune, avait émis l'hypothèse d'une planète qu'il nomma Vulcain et situa entre le Soleil et Mercure. Par la suite, les découvertes d'Einstein permirent de comprendre les excentricités du mouvement mercurien, qui s'avéraient sans rapport avec une pseudo-planète. De toute façon, grâce aux fabuleux progrès de l'astronautique, les télescopes spatiaux qui ont permis d'étudier des corps célestes beaucoup plus éloignés de la Terre que ceux appartenant au système solaire n'ont jamais détecté la moindre planète entre Mercure et le Soleil. *Exit* Vulcain. Définitivement.

*
* *

Lorsque j'ai D. au téléphone, je lui fais part de mes réserves ainsi que de mes doutes sur l'authenticité du récit de Daniel Meurois et Anne Givaudan. Loin d'être ébranlée, elle me recommande, presque sentencieusement, de ne pas porter de jugement sur ce dont j'ignore tout. C'est assurément un excellent conseil, qui pourrait aussi valoir pour elle, car, si je n'atteindrai jamais son niveau en ésotérisme, de son côté, elle ne connaît rien aux bases astrophysiques sur lesquelles se fonde l'astrologie d'aujourd'hui – et sur lesquelles toute astrologie devrait se fonder.

Une fois de plus, il me semble que nous parlons une langue différente. Je n'arrive pas à la convaincre qu'un propos qui, entre autres assertions fumeuses, ne fait aucune différence entre des planètes dont la réalité est incontestable et une planète qui n'a jamais existé, est taxable d'incohérence. Ni que cela pose un sérieux problème, dès lors que le guide, soi-disant réel et non fictif, qui a tenu un tel propos est censé avoir des connaissances et un entendement infiniment supérieurs à ceux d'un être humain.

Alors, là encore, on peut supposer que les auteurs ont mal capté, mal mémorisé et mal transcrit les dires de leur guide. À mes yeux, cet accroc met quand même en question leur crédibilité, sans rien ôter à l'intérêt de leur narration, qui, avec autant d'habileté que d'intelligence, connecte ce qui relève de l'imaginaire à une vision universelle ancestrale du monde, de l'au-delà et du sens de la vie ; une vision que les vulgarisations de la théosophie ou du New Age ont revisitée et largement diffusée en Occident.

Un autre livre des mêmes auteurs, *Par l'esprit du soleil*, paru en 1990, sept ans après *Terre d'émeraude*, me paraît aller plus loin, bien que je sois gênée par les recoupements manifestes avec les communications de Pastor ou avec *Vision du Nazaréen* de Cyril Scott. D. croit qu'en tant que « canal » avéré, capable de recevoir et de transmettre les messages de nombreux Maîtres,

Daniel Meurois a probablement capté la pensée de Pastor ou d'autres Maîtres de niveau comparable. Cette aptitude exceptionnelle serait-elle plus courante que je n'imaginais ? Le niveau supérieur de l'ouvrage *Celui qui vient,* publié cinq ans plus tard, semble confirmer l'intuition de D.

Dans un document télévisé à la portée de tous, Anne Givaudan explique que lors de ses décorporations, ses sens et son mental se trouvaient décuplés et qu'il en allait de même chez son mari, alors qu'ils étaient hors de leur corps physique et à une grande distance de lui. Très loin de leur cerveau, par conséquent. Cette femme inspire confiance. Rien ne m'incite à mettre en doute son témoignage, infiniment troublant pourtant et qui soulève bien des interrogations !

*

* *

Lors d'une conversation, D. évoque Babaji, un énième Maître spirituel indien qui, d'après elle, a écrit l'une des plus belles prières qui soient. Je lis dans Wikipédia qu'il serait apparu en 1970 et décédé en 1984, ce qui semble un peu juste pour marquer les esprits de son temps et atteindre un degré supérieur de spiritualité ! D., qui a réponse à tout, part dans des explications trop compliquées pour moi. Je crois juste comprendre qu'il y aurait plusieurs Babaji, à savoir plusieurs incarnations de l'entité qui porte ce nom – comme Jésus aurait été l'une des incarnations de l'entité Christ. Suive qui pourra !

Formulé autrement, il y aurait dans une autre dimension des Maîtres spirituels – ou entités désincarnées de haut niveau – qui, selon leur mission, se seraient incarnés à diverses époques, sous différentes formes, simultanément ou non, pour des durées variables : parfois brèves, parfois beaucoup plus longues que la durée courante d'une vie humaine. La finalité de tout cela serait, encore et toujours, de prodiguer dans la plus grande discrétion un enseignement qui guide et aide les êtres humains à évoluer, condition *sine qua non* pour que se réalise le Plan « céleste » prévu de longue date pour notre minuscule planète Terre...

Finalement, nous serions entourés, protégés, veillés, surveillés par de nombreuses entités bien plus évoluées que nous, visibles ou invisibles. Il semblerait que, depuis quelque temps, leur mission de nous éclairer sur l'ordre caché du monde et de nous ouvrir les yeux sur les mystères de la vie se soit faite plus pressante, plus impérative, et que leurs manifestations se soient multipliées en conséquence.

Je n'écarte pas les aspects irrationnels dérangeants de cette forme particulière de réalité, ni le risque qu'ils égarent certains individus trop crédules et exaltés. Qu'un esprit cartésien ait des doutes, je le comprends d'autant plus que j'en ai moi-même quelques-uns. Mais ne vaut-il pas mieux suivre le conseil de D. ? La sagesse ne commande-t-elle pas de ne pas porter de jugement sur ce dont nous ignorons tout ? Il n'est pas exclu que les incohérences qui me heurtent soient des détails sur lesquels j'aurais tort de me braquer, quand seules les grandes lignes importent...

Chapitre IX

Depuis une quinzaine d'années, je reçois régulièrement des catalogues vantant les mérites des
couches-culottes, loupes, cannes, appareils audi-
tifs, dentiers, assurances décès et autres bricoles
domestiques ou administratives permettant de
mieux vivre les multiples inconvénients et les
sombres perspectives du troisième âge. Sachant
en quelle année lointaine je suis née, et probablement au courant des problèmes de santé
qui ont failli m'emporter, voilà maintenant que
des « fans » inconnus se préoccupent de mon
salut. L'un d'eux réussit à obtenir mon adresse
électronique en prétendant avoir quelque chose
d'extraordinairement important à me communiquer. Mauvaise conseillère, ma curiosité m'incite
à accepter que l'intermédiaire qui me transmet
sa demande lui donne mes coordonnées. Mal
m'en a pris, car au vu du courriel que je reçois
aussitôt, j'ai l'impression d'avoir affaire à une
sorte d'illuminé intégriste qui s'est mis en tête
de me convertir à sa religion, faute de quoi j'irai
en enfer quand je mourrai pour de bon.

Oui, évidemment, sauver une âme est de première importance ainsi que d'une extrême urgence en ce qui me concerne, si l'on songe au fil sur lequel j'essaie tant bien que mal de garder l'équilibre. Agacée plus que touchée, je comprends pourtant que lorsqu'on se sent investi d'une mission salvatrice pareille, on prenne les initiatives qu'elle implique sans perdre une minute. J'adresse mes remerciements à L., le fan bien intentionné, en lui faisant tout de même remarquer qu'il ne sait rien de moi et qu'il se pourrait que je n'aie aucun besoin de ses conseils pour échapper aux griffes du diable. S'ensuit un dialogue de sourds exaspérant auquel je coupe court rapidement.

Des semaines plus tard, apparemment calmé, L. m'envoie un mail charmant, très différent des précédents. Amadouée et un peu embêtée de l'avoir envoyé promener sans ménagement, je lui réponds sur le même ton. À partir de là, nous entretenons une aimable correspondance. Avoir des échanges avec quelqu'un qui vit à l'autre bout du monde, à savoir en Afrique du Sud, m'amuse et m'intéresse. Ma longue expérience de l'insatiabilité des fans m'a appris que lorsqu'on leur donne le petit doigt, nombreux sont ceux qui vont s'employer à avoir le bras et le reste, mais la distance géographique me protège. Et puis j'aime tellement la langue anglaise que je ne résiste pas à l'occasion d'enrichir un peu mon vocabulaire.

Hélas, comme j'aurais dû m'y attendre et comme chacun sait : chassez le naturel, il revient au galop ! Aux échanges récréatifs succèdent un beau jour des extraits de la Bible qui prêchent une convertie en ce qu'ils mettent en avant la suprématie de la charité sur les autres vertus. Encore faudrait-il s'entendre sur les implications d'un mot que chacun perçoit à sa façon. Je n'ai évidemment rien à redire au texte biblique, mais l'obstination de mon correspondant à évoquer la damnation éternelle à laquelle je n'échapperai pas si je ne calque pas sur les siennes ma vision des choses et ma conduite, m'ôte l'envie de m'attaquer à la réponse sérieuse qu'un tel sujet exigerait. De guerre lasse, je me borne à l'interroger sur son appartenance religieuse. « Je suis protestant, me répond-il avec une mauvaise grâce déconcertante, mais c'est sans importance. Je préfère me dire chrétien. » Il enchaîne sur des généralités à propos des fondements de sa religion : l'existence de Dieu, son caractère sacré, immuable, sa toute-puissance, son amour, sa création de l'univers et de tout ce qui existe... La parole de Dieu, précise-t-il, est dans la *Holy Bible* où Il nous enseigne ce que nous avons besoin de savoir sur Lui, ce qu'Il attend de nous, et comment nous pouvons être délivrés de la mort éternelle.

Le simplisme de cette dernière phrase me hérisse, et plus encore les commentaires de L. : « Il n'y a qu'un seul Dieu et qu'une seule façon d'aller à Lui, celle qui passe par son fils Jésus-Christ. » « Chaque jour, je prie Dieu pour qu'Il ouvre vos yeux à Sa vérité. Je ne peux pas vous convertir, Lui seul en a le pouvoir... » conclut L., qui termine par : *« May God bless you abundantly ! »* De son anglais particulier, avec des fautes par-ci par-là, je déduis qu'il est d'origine plus néerlandaise, germanique ou scandinave que britannique.

Je m'empresse de lui exprimer mon désaccord. Dans le meilleur des cas, la conception de Dieu ne peut qu'être très approximative et varie d'une religion comme d'un individu à l'autre. Les chemins qui mènent à Lui, quelle que soit l'idée qu'on s'En fait, sont donc divers et variés eux aussi. Mais si inconcevable pour la perception humaine que soit Dieu, une chose est sûre : Il préférera toujours un bouddhiste, un musulman ou un athée larges d'esprit et ouverts aux autres, à un chrétien rigidifié par des dogmes qui le ferment à tout ce qui sort de leur cadre réducteur. Ceux qui pensent que leur croyance, leur vérité, est la seule valable manquent d'humilité et font preuve d'ignorance autant que d'intolérance...

De nouveau, je signale à L. que pas une seconde il n'a envisagé la possibilité que je sois aussi avancée que lui en spiritualité. Plus étonnant encore : comment peut-il avoir d'emblée la conviction de m'être supérieur dans ce domaine au point de se permettre d'entreprendre ma conversion à ses croyances sans se poser la moindre question sur les miennes et sans me demander mon avis ?

Dans son mail suivant, L., dont le ton trahit un mélange d'accablement et de condescendance, dit sa tristesse devant des déclarations aussi ridicules que celles concernant la préférence de Dieu pour un musulman, un bouddhiste ou un athée, aux dépens d'un chrétien... « Où donc avez-vous lu une chose pareille ? Qui vous a raconté ça ? Dieu vous en a-t-Il fait part en personne ? » s'enquiert-il avec une ironie où je sens pointer un début d'agressivité. « Aux yeux de Dieu, poursuit-il sur sa lancée, tous les hommes sont des pécheurs et quelqu'un devait payer pour leurs péchés. Jésus a payé le prix fort pour ceux qui croient en Dieu. Tous les autres devront payer eux-mêmes. »

L. ne pense pas que je sois plus *spiritual* que lui. Est-ce que je crois que l'esprit de Dieu vit en moi, autant qu'il en est convaincu pour lui-même ? s'enquiert-il, alors que sa formulation montre qu'il sait mieux que moi à quoi s'en tenir. « Vous pouvez être quelqu'un d'aussi bien que possible, d'aussi spirituel que tous les esprits réunis, sans la rédemption de Jésus, votre existence entière aura été vaine et vous n'aurez pas assez de l'éternité pour le regretter. » Ces propos puérils prêtent à sourire, mais L. a plus de soixante ans et son credo à sens unique barre la route au dialogue. Toutes ses assertions l'indiquent clairement : lui exposer une vision différente de la sienne serait peine perdue. Je lui écris que nos longueurs d'onde s'avèrent décidément trop différentes et qu'il vaut mieux arrêter là notre correspondance. Sa réaction ne tarde pas : « Vous m'accusez d'intolérance, alors que c'est vous qui en faites preuve vis-à-vis de moi. » C'est bien envoyé, mais mieux vaut tirer un trait définitif sur ce genre d'impasse.

*
* *

Les échanges surréalistes avec L. auront eu le mérite de me confronter directement à la réalité des fossés quasi infranchissables qui séparent les êtres. On dirait que plus une croyance est absurde, plus on s'y accroche et plus on voudrait l'imposer au monde entier, quoi qu'il en coûte, même s'il y va de sa vie et de celle des autres ! La conviction que tous ceux qui pensent autrement que soi sont des « hérétiques » à convertir ou à supprimer révèle une mentalité si arriérée qu'on se demande comment il est possible qu'elle continue de faire autant de ravages...

*
* *

Actuellement, les médias, en particulier les revues féminines, accordent une grande place au véganisme, qui voit dans l'utilisation de la moindre chose en provenance du monde animal (un œuf, du fromage, une brosse à cheveux en poils de sanglier, des chaussures ou un sac en cuir, un vêtement en laine, etc.) une exploitation éhontée de ce monde. Peu importe à cette nouvelle catégorie d'indignés qu'un régime qui réussit aux uns puisse ne pas réussir aux autres et que l'on trouve dans la viande, mais pas dans les végétaux, tous les acides aminés indispensables à la vie humaine. Peu lui importe que l'alimentation strictement végétale puisse être aussi nocive que l'alimentation de nature animale en raison des résidus de pesticides dont même les produits bio ne sont pas exempts, ces derniers n'étant d'ailleurs accessibles qu'à une minorité de gens.

D'après de nombreux spécialistes, l'introduction des protéines animales dans l'alimentation aurait favorisé le développement du cerveau humain, et la propagation dans les pays industrialisés de ce type de consommation expliquerait en partie l'augmentation de la taille humaine qu'on y a constatée. D'après l'un de mes médecins, il existerait des correspondances entre le groupe sanguin et les besoins alimentaires[1]. Les individus du groupe O, par exemple, auraient davantage besoin d'alimentation carnée que ceux des autres groupes…

---

1. Consulter à ce sujet les livres de Peter J. d'Adamo.

Si tous ces rapports de cause à effet semblent plus ou moins discutables, on sait par contre que nourrir les bébés au lait végétal les carence gravement. Le lait maternel étant animal quand bien même la maman serait végétalienne, les femmes qui allaitent sont-elles exploitées elles aussi ? Et quand elles n'ont pas la possibilité d'allaiter, existe-t-il un autre recours que le lait de nos bonnes vaches laitières sans lequel les bébés ne survivent pas ? Quel affreux casse-tête !

L'homme est omnivore, beaucoup d'animaux le sont aussi, d'autres sont exclusivement herbivores ou carnivores. La maltraitance animale est hautement condamnable, mais le grand fauve déchiquette le tendre agneau et la gracieuse antilope, le chat tue les mignons petits oiseaux et les gentilles petites souris, les poissons s'entre-dévorent et ne sont pas les seuls dont la survie passe par là... L'idée de mettre au régime les grands et petits carnassiers ne hante pas encore les adeptes du véganisme, mais celui qu'ils pratiquent et souhaitent répandre est en partie contre nature. Se nourrir exclusivement de produits végétaux semble en effet aussi déséquilibré qu'abuser des protéines animales accompagnées de pâtes ou de riz blanc.

J'ai brusquement la vision d'un lion broutant paisiblement dans les champs, d'un rapace picorant des graines, d'un requin ne se nourrissant plus que de plancton... *Peace and love...*

Si l'homme renonçait à la viande, il n'y aurait plus d'élevage intensif et le nombre d'animaux propres à la consommation diminuerait, mais ces derniers ne disparaîtraient pas pour autant de la surface du globe et continueraient de s'alimenter et de se reproduire. Autre casse-tête : comment nourrir sept milliards d'humains, bientôt dix, ainsi qu'un grand nombre d'animaux autrement qu'avec une agriculture intensive qui a déjà commencé à épuiser les sols ?

Il paraît que la cuisine végétalienne est délicieuse et que lorsqu'on y goûte, on est tout de suite séduit. Peut-être, mais depuis ma prime enfance, je n'ai jamais digéré facilement les haricots secs, les lentilles, les pois chiches et autres légumineuses... Ni d'ailleurs les crudités aux fibres trop épaisses. Bizarrement, on n'entend plus parler des pénibles effets secondaires bien connus de ces végétaux. Personne n'évoque non plus l'excès de glucides qu'implique un régime sans protéines animales. Contrairement à la viande, le soja, tellement prôné comme succédané, contient plus de glucides que de protéines. Confectionner un repas végan prend par ailleurs beaucoup de temps : trouver les ingrédients, appliquer des recettes rarement simples, requiert autant d'ingéniosité que de disponibilité ; davantage en tout cas qu'un filet de poisson ou un steak accompagnés d'une salade ou de légumes verts...

On peut manger de la viande qui ne soit pas en provenance de l'élevage intensif trois-quatre fois par semaine et consommer du fromage et des œufs sans nuire à sa santé – au contraire –, sans exercer non plus de maltraitance animale, ni mettre la planète en danger. La correction des déséquilibres qui menacent de plus en plus la vie sur terre passe moins par l'alimentation végétalienne que par une régulation mondiale des naissances...

Qu'on la trouve chez les adeptes du régime végan, chez les militants politiques, les intégristes religieux ou autres, la radicalité n'est de toute façon jamais une bonne chose et peut recouvrir des traits de personnalité moins sympathiques que l'idéalisme ou l'empathie pour les animaux... Irrationnel par nature, l'affectif parasite encore plus le mental quand il est question d'alimentation, de politique ou d'affaires religieuses, ouvrant grande la porte à l'extrémisme. Aucune prise de position ne tient pourtant la route sans recul, sans tolérance, sans quête du juste milieu. Qui donc a dit : « L'excès en tout est un défaut » ?

*
* *

Toute jeune déjà, je pensais que les récits évangéliques et les dogmes chrétiens étaient symboliques, jugeant stupide de les prendre au pied de la lettre comme L. est loin d'être le seul à le faire. Dans *Vision du Nazaréen*[1], livre publié en Angleterre en 1933 dont je viens de terminer la lecture, Cyril Meir Scott[2] donne la parole à Jésus. On n'est pas obligé de croire en la façon dont cette parole lui serait parvenue. Grand ésotériste, Cyril Scott dit l'avoir captée par le biais de l'écriture « inspirée », à ne pas confondre avec l'écriture « automatique » qui n'implique pas un niveau de conscience élevé et est susceptible d'attirer des entités peu recommandables. Quoi qu'il en ait été, les propos prêtés à Jésus sont édifiants et m'intéressent d'autant plus qu'ils confirment de façon subtile ce que mon gros bon sens me dictait depuis longtemps. Mon fils, auquel je fais part de mon enthousiasme, me refroidit en assurant que ma vision des choses est une évidence pour la majorité des gens. Je n'en suis pas si sûre, et de toute façon, tel n'était pas le cas en 1933.

Dans le livre de Cyril Scott, Jésus dénonce l'incompréhension de ses soi-disant adeptes-disciples et les dénaturations qu'elle a entraînées. Il leur reproche principalement d'avoir « interprété ses paroles à la lettre au lieu d'en saisir l'esprit ». Par exemple, il déplore qu'on ait fait de lui le fils de Dieu au sens propre, alors qu'il s'agit d'une image symbolique et qu'il n'était, qu'il n'est ni plus ni moins le « fils

---

1. *The Vision of the Nazarene*, 1933.
2. Voir chapitre VII.

de Dieu » que n'importe quel être humain. Il évoque aussi la stérilité de l'attachement à des dogmes sans fondement – tel celui de l'enfer, qu'il affirme inventé de toutes pièces – qui éloignent de l'essentiel, lequel consiste à être soi-même « l'artisan de son propre salut, qui passe par la bonté de cœur... » Il insiste enfin sur la connaissance et le discernement, sans lesquels la foi est faussée et tombe dans une forme de superstition.

Bref, je retrouve plus ou moins ce que j'ai mailé à mon correspondant sud-africain, et quand saint Jean rapporte dans son Évangile que Jésus a dit : « J'ai d'autres brebis qui ne sont pas de cette bergerie », c'est bien là l'indication qu'il n'exclut pas les religions autres que celles relevant du christianisme, dès lors qu'elles impliquent une éthique similaire.

À propos de certains chrétiens qui se réclament de lui, Jésus ironise : « Ils se proclament les servants de l'Unique Religion et de l'Unique Vérité, mais quand d'autres prêchent cette unique vérité sous une forme légèrement différente, vois comme ils se groupent pour projeter leurs pensées de destruction. Ils s'attaquent aux fondateurs des nouvelles communautés et à leurs chefs qui ont un idéal de plus grande tolérance et de plus grande fraternité... »

À ma vive surprise, j'apprends que son enseignement a également abordé la véritable nature de l'homme et de ses « corps subtils », ainsi que la réincarnation et la loi de cause à effet, plus communément appelée « karma ». Autant de réalités que les autorités chrétiennes se sont empressées d'occulter.

D., à qui je confie l'impression positive que me laisse *Vision du Nazaréen*, m'apprend qu'en ésotérisme, « Christ » désigne une énergie correspondant au plus haut degré d'initiation. Plusieurs Initiés ont été investis par cette énergie spécifique afin d'accomplir leur mission. Jésus était l'un d'eux. C'est grâce à cet « adoubement christique » qu'il a pu aller au bout de l'action qu'il avait accepté de mener, atteignant ainsi un niveau encore supérieur d'initiation.

Selon D., l'appellation « Jésus-Christ » est en partie incorrecte. D'après Wikipédia, « Christ » renvoie au terme hébreu « *mashia'h* », qui signifie « l'oint du Seigneur » et d'où ont été tirés les mots « messie », « messe » en français, et « *Messiah* », « *mass* » en anglais. La traduction grecque de ce mot est « *krystos* ». Accoler le mot « Christ » au nom de « Jésus » revient à dire que ce dernier a reçu l'onction divine, ce qui ne s'oppose pas vraiment à la version ésotérique, Dieu étant l'énergie suprême et l'énergie de nature christique étant, selon l'ésotérisme, du niveau qui, sans l'atteindre, se rapproche le plus de celui de Dieu.

Peu d'ouvrages du prolifique Cyril Scott ont été traduits en français. Après la trilogie de *L'Initié* et *Vision du Nazaréen,* je me procure le seul que je n'aie pas lu et que l'on puisse encore trouver : *La musique : son influence secrète à travers les âges...* Ayant toujours pensé que l'Inspiration, avec un grand I, était de nature divine, je suis heureuse de lire que, peu avant sa mort, Brahms avait tenu à révéler que « lorsqu'il composait, il se sentait inspiré par une force qui lui était étrangère ». « Comme il croyait à l'existence d'un Esprit Suprême, explique l'auteur, il maintenait que le créateur ne pouvait composer d'œuvres immortelles que lorsqu'il était en état d'union avec cet Esprit. » Cyril Scott évoque ensuite ses propres contacts avec le Maître Koot Hoomi, plus spécialement concerné par la musique, dont il lui a révélé le pouvoir de modifier en profondeur les mentalités, favorisant ainsi les avancées sociales. D'après Koot Hoomi, les grands compositeurs sont des médiums missionnés et aidés par les Maîtres pour faire progresser les esprits. Il confirme ainsi l'intuition de Brahms.

Selon ce principe, la musique de Haendel, qui a vécu en Angleterre dans la première moitié du XVIIIe siècle, aurait été déterminante en ce qui concerne l'avènement de l'ère victorienne d'éthique puritaine, de respect des traditions et des conventions, dont manquait l'époque précédente de relâchement de la morale et des mœurs. La mission de Beethoven aurait consisté à « mettre en sons l'immense variété des émotions et sentiments humains ». Sa musique aurait donc facilité leur expression jusque-là refoulée, ainsi que joué un rôle important dans l'apparition de la psychanalyse... Les œuvres de Chopin auraient apporté le « raffinement intérieur, celui de l'âme », et celles de Schumann incité à accorder aux enfants l'attention dont ils ne bénéficiaient pas jusque-là. Ainsi de suite...

L'œuvre d'un grand compositeur a-t-elle été aussi décisive dans l'évolution qui a caractérisé son époque que l'assure Cyril Scott ? Certes, la créativité pousse à transgresser une partie des règles existantes, car c'est son essence même que de trouver des voies inexplorées jusque-là. Certes, le créateur est un être d'exception qui se démarque de son environnement de façon non délibérée ni calculée, mais innée, parce que les vibrations subtiles de sa sensibilité le connectent à une autre dimension. Que le grand compositeur soit un médium en lien plus ou moins inconscient avec des entités immatérielles aussi évoluées que les Maîtres chargés d'orienter son inspiration et d'en faciliter l'expression, cela n'a au fond rien de saugrenu et va presque de soi.

Une œuvre majeure a beau garder l'empreinte de l'époque qu'elle a marquée, elle est intemporelle, autrement dit éternelle. On écoutera jusqu'à la fin des temps Bach, Mozart, Beethoven, Ravel,

Stravinsky, pour n'en citer que quelques-uns. Mais de là à penser qu'il y ait une cause première, plus déterminante que les autres, au passage du Moyen Âge à la Renaissance, du siècle des Lumières au Romantisme, de l'art figuratif à l'art abstrait, du tsarisme au communisme, du puritanisme à la « libération sexuelle »... L'évolution des mentalités et les changements sociaux qu'elle entraîne ne sont-ils pas dus à la synergie entre de multiples facteurs plutôt qu'à un facteur unique qui entraînerait les autres à sa suite ?

Depuis quelque temps, j'essaie d'écouter de la musique dite sacrée. Grâce à des efforts répétés, je commence à apprécier le *Requiem* de Mozart, qui m'ennuyait et que les mélomanes portent aux nues. Un jour, en effet, le CD a tourné jusqu'à l'*Agnus dei,* qui m'a aussitôt fait dresser l'oreille et transportée. Pour la petite histoire, j'apprendrais par la suite que Mozart était mort avant d'avoir achevé son œuvre et que c'est à l'un de ses élèves, Joseph Eybler, que l'on doit l'*Agnus dei* qui a un tel effet sur moi. Est-ce là ce qui m'a rendue un peu plus curieuse d'un genre musical qui me rebutait jusque-là, est-ce l'approche de la mort, ou encore les livres de Cyril Scott et certains textes ésotériques ? Un peu de tout cela à la fois, me semble-t-il...

Si le « divin » est en chacun de nous, chacun de nous en a une perception différente, et est attiré par ce qui se rapproche le plus de son étincelle divine intérieure, quand bien même elle s'avère inconsciente chez les uns, floue chez les autres. La fonction de la musique n'est-elle pas justement de nous rendre davantage conscients de cette mystérieuse étincelle et d'aller à la rencontre de notre âme, dont les affinités nous gouvernent et nous orientent à notre insu ?

*
* *

Mon admiration pour Cyril Scott, pour l'originalité de ses conceptions, pour son parcours hors normes, allait grandissant, quand je tombe brusquement de la hauteur où j'en étais arrivée à le mettre. Dans ses pages à propos des musiques contemporaines, il écrit que ce sont les forces « noires »[1] qui ont introduit le jazz, dont le caractère « orgiaque » aurait provoqué la détérioration de la morale, en particulier en matière de sexualité, le manque de contrôle de soi et de dimension spirituelle, l'avidité, la quête effrénée de sensations fortes, de sensationnel…

En reprenant le principe selon lequel la musique aurait une influence déterminante sur les progrès sociaux et compte tenu des divers courants musicaux et ethniques dont il est issu,

---

1. Forces noires au sens de forces sombres, obscures, négatives… Selon D., au regard de l'ésotérisme, les forces noires sont indispensables aux forces blanches comme le + l'est au – dans un univers régi par le principe de bipolarité.

de la place qu'il accorde aux solos improvisés, joués par chaque musicien à tour de rôle en réponse aux autres, il saute pourtant aux oreilles et aux yeux que le jazz a préfiguré le métissage et le besoin accru de liberté et de démocratie de la société actuelle. La mobilité, la plasticité, la rapidité de compréhension et d'exécution, l'aptitude à être ludique, mais aussi la nécessité d'avoir un registre mental aussi développé que celui des émotions et des sentiments, tout cela allait dans le sens des exigences du monde d'aujourd'hui, où la polyvalence et l'adaptabilité sont devenues primordiales.

Quels morceaux de jazz sont donc parvenus aux oreilles de Cyril Scott pour qu'il n'entende pas la richesse et la subtilité harmoniques, rythmiques, et si souvent mélodiques aussi, de cette musique pas toujours facile d'accès, mais vivante car jamais figée, d'une incroyable diversité et permettant des variations infinies ; une musique qui se renouvelle en permanence et peut transmettre tant le rythme, la joie, le mouvement, en un mot la vie, que la mélancolie aussi belle que poignante[1] du blues ? Pour moi, c'est aux forces de lumière et de progrès qu'elle renvoie, non à celles de l'ombre et de la décadence...

Non, décidément, je ne vois pas le rapport entre l'homme qui a écrit de telles inepties sur le

1. « *Heart touching* » en anglais.

jazz et l'auteur des pages instructives de son livre sur la musique, ou des deux premiers volumes de *L'Initié* publiés en 1920 et en 1927, ou encore de *Vision du Nazaréen* paru en 1933. Pire, je ne me débarrasse pas de l'impression dérangeante que le brillant écrivain, le grand occultiste, a fini par devenir un vieux barbon aigri et puritain. C'est d'ailleurs ce qu'inspire l'une des photos prises de lui sur le tard, déconcertante à première vue tant le regard noir et peu amène qu'on y découvre est aux antipodes de celui, si pénétrant et si beau, qui rend fascinantes les quelques photos de jeunesse...

Lorsqu'on a consacré une grande partie de son existence à la spiritualité et qu'on est allé aussi loin que Cyril Scott dans cette voie, le visage de la vieillesse devrait être serein, avec un regard lumineux qui irradie la beauté de l'âme... Je me raisonne en me répétant de ne pas me braquer sur le détail qui tue, encore moins sur une photo prise peut-être dans les pires conditions. Nul n'est à l'abri des préjugés ou des dérapages, et personne n'est parfait de toute façon. Même si Cyril Scott avait déjà cinquante-trois ans à la parution de son livre sur l'influence de la musique, on peut espérer qu'au long des trente-sept années qu'il lui restait à vivre, la découverte de quelques-uns de ses innombrables chefs-d'œuvre lui ait fait entièrement reconsidérer son irrecevable point de vue sur le jazz.

Au final, malgré cette « fausse note » et d'autres assertions qui me semblent réductrices ou infondées, la lecture de cet ouvrage m'a donné envie de découvrir des compositeurs que je ne connais que de nom et d'en savoir davantage sur les autres. Je sais : plusieurs vies n'y suffiraient pas, hélas !

*
* *

Dans les mois qui ont suivi la réintégration de mes pénates, les circonstances plus que ma volonté propre m'ont amenée à me familiariser davantage avec l'idée de la réincarnation. Quand on pense au temps que prend la compréhension d'une seule grande œuvre musicale ou littéraire, la vie sur terre semble encore plus brève qu'elle n'est réellement et on en retire le sentiment désolant qu'on en sortira presque aussi ignorant qu'on y est entré. Sans doute tout n'est-il pas utile à apprendre pour parfaire son évolution. Sans doute vaut-il mieux une tête bien faite que bien pleine... Mais avoir plusieurs vies qui permettraient de combler ne serait-ce qu'une infime partie des nombreuses et immenses lacunes avec lesquelles on quitte l'une d'elles, me semble plus que jamais d'une nécessité et d'une cohérence absolues !

*
* *

Le marché se tient deux fois par semaine place d'Auteuil et on peut s'y rendre très tôt le matin. C'est samedi, et le boulevard de Montmorency est désert. Le printemps est là depuis trois semaines, mais il fait froid et je regrette de ne pas avoir mis mon bonnet pour me protéger du vilain petit vent qui souffle par intermittence. Mon esprit voyage dans le temps quand je passe pour la énième fois devant l'hôtel particulier où les frères Goncourt entreposaient les merveilles artistiques du XVIIIe siècle qu'ils avaient rapportées du Moyen-Orient ou d'Afrique pour que leurs nombreux et souvent célèbres amis en découvrent les beautés.

De loin, j'aperçois un individu en tenue de jogging qui tente de faire comprendre quelque chose à son chien. Les quiproquos m'ont toujours fait rire, mais plus encore ceux, aussi ostensibles qu'émouvants, entre les êtres humains et leur chien : on sent chez celui-ci une telle bonne volonté, un tel désir de contenter son maître, un besoin, presque désespéré parfois, de comprendre ce qu'on lui dit, que cela fait littéralement fondre de tendresse. Mais rien n'est plus hilarant que lorsque, au bout de longues minutes d'efforts de part et d'autre, le chien finit par faire exactement le contraire de ce qui lui était demandé. En arrivant à proximité de ce couple touchant, j'entends l'homme en jogging, jeune et sympathique, répéter obstinément « besoin, besoin », en désignant le caniveau à son animal, un chiot irrésistible qui garde sa petite tête levée vers lui dans l'espoir manifeste de comprendre enfin ce qu'on attend de lui. Peut-être se pose-t-il des questions sur la santé mentale de son maître qui persiste à s'adresser à lui dans un langage qu'il sait pourtant incompréhensible pour le presque nouveau-né dont il s'occupe. Et pourquoi ne serait-ce pas à lui d'apprendre le langage de son chien plutôt qu'au pauvre chien d'apprendre le langage humain, beaucoup plus compliqué ? La communication en serait tellement facilitée ! Cette petite scène tragi-comique me met en joie et en m'entendant rire, le jeune homme se tourne gentiment vers moi pour m'expliquer qu'il essaie d'éduquer son chiot. « Ce doit être difficile », fais-je remarquer platement. « C'est un futur chien d'aveugle », précise-t-il. « En plus ? ! Bonne éducation, alors ! » dis-je pour la forme en m'éloignant, tandis qu'il entre dans son immeuble suivi de son adorable petit chien au museau toujours pointé vers lui, dans l'espoir de l'éclaircissement salutaire qui lui apporterait la sérénité dont il a besoin. Après tout, c'est encore un bébé !

Je poursuis ma marche d'un bon pas quand j'entends un drôle de bruit qui progresse derrière moi. À peine ai-je le temps de me demander de quoi il s'agit qu'un autre jeune homme en tenue jaune vif me dépasse en actionnant vigoureusement une trottinette de la même couleur criarde que son vêtement... Voilà une autre séquence surréaliste et jubilatoire du spectacle permanent qu'est la vie !

Encore quelques pas et un coup d'œil inquiet aux logements sociaux en voie d'achèvement que la maire de Paris a jugé bon de faire construire dans un quartier remarquable par son architecture où l'Art nouveau voisine avec l'Art déco. Mon auxiliaire de vie m'avait laissé entendre que, contrairement à ce qu'on croit, ce ne sont pas les gens les plus démunis qui habitent dans ces HLM. Toujours est-il que si les immeubles en voie de finition détonnent dans leur environnement, ils s'annoncent un peu moins horribles que je ne l'avais craint. Ouf !

Me voilà devant les étals bariolés de fruits et de légumes où les barquettes de fraises de Marmande côtoient des radis noirs et roses, des choux pointus bien verts, des pommes, des tomates et des herbes de toutes sortes… Un festival de couleurs et de parfums, de bruits aussi… Une sorte de condensé de vie qui m'enchante et me porte à l'apprécier au plus haut point, cette vie sur terre, malgré le vieux véhicule corporel tout cabossé qui fait de son mieux pour me transporter et dont je dois désormais me contenter en gardant présent à l'esprit que le volant risque à tout moment de m'échapper des mains !

Un peu plus tard, je me promène dans le merveilleux havre de paix que sont encore les jardins du Ranelagh. « Me permettez-vous de vous prendre en photo avec moi ? » me demande le séduisant jeune homme qui vient de m'accoster. « C'est pour mon mari. Il vous adore. » « Ah !

si c'est pour votre mari, allons-y », dis-je, amusée, en espérant qu'il n'a pas perçu le léger choc que j'ai ressenti malgré moi en l'entendant dire « mon mari ».

Pour ma prochaine balade, il faudra que je pense à aller au 32 rue des Vignes où a vécu Gabriel Fauré, dont j'apprécie la musique et qui, bien que beaucoup plus tard que Beethoven, a connu l'épreuve terrible de la surdité. C'est pendant la messe donnée pour les obsèques d'Henri Salvador en l'église de la Madeleine que j'ai entendu pour la première fois son magnifique *Requiem*. Je m'étais demandé si cela n'avait pas été l'une des dernières volontés d'Henri de faire découvrir cette sublime musique aux amis qui seraient présents à sa messe d'enterrement et ne la connaîtraient pas encore. Cette pensée m'avait émue. Gabriel Fauré a longtemps été « maître de chapelle » dans cette même église de la Madeleine où, en 1924, avait également été donnée la messe pour ses funérailles nationales.

Cette année, le petit arbre devant mes fenêtres qui commence à fleurir avant tous les autres mais était très en retard en 2015 quand je suis partie le 9 mars à l'hôpital, a montré ses premières jolies fleurs blanches début février. Plusieurs fois par semaine, j'ai photographié avec ravissement les progrès de cette métamorphose féerique. L'hiver a été exceptionnellement doux, mais la floraison de « mon » petit arbre s'était avérée aussi précoce les trois années précédentes, y compris celle où il a neigé et fait très froid. Je me plais à imaginer que cette fois-ci, c'est un signal positif que l'on m'envoie. Un sentiment de reconnaissance m'envahit et le sursis dont on m'a miraculeusement gratifiée m'apparaît pour ce qu'il est : un cadeau du ciel...

Extrait d'une communication
Pastor-Omnia

Question : *Comment se fait-il que la conscience cosmique n'intervienne pas avant que des personnes, des groupes commettent trop de dégâts sur la terre ?*

PASTOR-OMNIA : Ce n'est pas que la conscience cosmique n'intervient pas, c'est que les habitants de la terre n'ont pas la conscience véritable et ne connaissent pas la réalité primordiale.

Souvent les gens pensent que si Dieu est tout-puissant, s'il a autant d'amour, il devrait intervenir plus souvent sur la terre. Ce genre d'esprit ne comprend pas les lois de la vie, n'a pas la connaissance ésotérique pour savoir ce qu'est le plan terrestre, physique, ni ce qu'est Dieu véritablement.

Il faut faire la différence entre initiation et religion. Il y a tellement d'informations, d'enseignements dénaturés que l'individu s'est mis à croire que Dieu est un père tout-puissant pour ses pauvres petits enfants perdus à la surface de la terre. En disant que Dieu est perfection, amour, toute-puissance, on met dans l'esprit humain l'idée fausse que l'intervention divine est forcément bénéfique.

La terre est une école très dure, un caillou initiatique où l'on prend ses responsabilités et où l'on agit dans le cadre de la Loi de cause à effet.

Les dévots et les suiveurs entretiennent des images d'Épinal qui falsifient la réalité terrestre au point qu'il y a création d'un double monde où l'individu n'arrive plus à exercer son jugement sur la nature de Dieu par rapport au monde, sur ce qu'est le monde divin par rapport au monde terrestre : il y a scission, friction, et le disciple perdu dans sa perception de la perfection du divin et de l'imperfection du terrestre, de l'amour de Dieu dans la violence de la terre, ne sait plus où il en est. Il se perd en conjectures et en arrive à douter de la perfection de Dieu et du Bien.

Les choses ne sont pas ainsi, ou du moins la nuance est différente. Il est vrai qu'il existe une énergie de perfection, comme il existe une énergie d'amour, un état d'éternité et de paix. Mais il existe aussi un chemin initiatique, et ce chemin initiatique, le Maître n'a pas le droit d'y toucher, sinon il empêche l'âme d'avancer.

Si, par amour, un être arrivait sur terre en disant qu'il va être le Sauveur des hommes et éradiquer les maladies, construire un système social parfait qui leur évite les problèmes et les soucis, leur apprendre comment être non violents, tout leur apprendre, pour ne plus s'inquiéter pour eux... non seulement la moitié, au moins, des individus seraient incapables d'exécuter ce que cet être-là leur demanderait pour leur bien, mais, en plus, les forces de l'évolution ne pouvant plus s'exercer, l'humanité régresserait et deviendrait encore plus inconsciente qu'elle ne l'est actuellement, si bien que cet univers que l'on voulait parfait, serait juste mécanisé. À trop vouloir faire bien, en dirigeant le bien, on ne permet pas à l'individu de conquérir son propre bien, ce qui est capital.

Créer un système parfait, autrement dit un système de protection – car c'est bien de ça qu'il s'agit : on ne comprend pas pourquoi Dieu ne protège pas ses enfants –, lorsque l'on met à ce point l'homme sous assistance, on ne fait que l'étouffer. Si on laisse la fleur à l'air sous le soleil, mais aussi sous les intempéries, car il faut bien de l'eau – alors la fleur peut pousser. Mais si par esprit de protection, on la met sous cloche, si on la couvre à cause de la terre qui gèle ou si on met du sparadrap sur sa tige pour qu'elle n'ait pas froid, etc., au bout de quelque temps, la fleur dépérit.

L'homme doit conquérir son bien et sa liberté. L'humanité ne doit pas être protégée de façon paternaliste comme les gens voudraient qu'elle le soit.

La terre est une sphère initiatique. C'est une école, avec toutes les difficultés, tous les efforts que cela implique. L'école est un terrain où l'on apprend et où le meilleur gagne. La terre, c'est pareil. La terre est l'endroit où l'éclosion du corps physique a lieu. Vous disposez à cet endroit d'un corps physique qui va vous amener vers les expériences spécifiques dont vous avez besoin pour avancer.

La terre n'est ni bonne ni mauvaise, elle est neutre : elle vous donne un corps, une nature, et vous en faites ce que vous voulez. Mais selon ce que vous en ferez, la Loi vous sanctifiera ou vous détruira.

Et que viennent faire les Maîtres là-dedans ?

Ce n'est pas qu'ils n'exercent pas de protection sur l'humanité, au contraire : ils travaillent sans cesse – mentalement, spirituellement – à envoyer des énergies précises vers certains centres de la terre... Mais leur énergie est tellement haute en fréquence que l'homme n'est pas capable de la recevoir. Il n'est pas assez subtil pour la capter.

Les Maîtres n'ont pas le droit d'intervenir parce que l'homme doit se construire lui-même et devenir auto-conscient. Il ne doit pas emprunter sa conscience à tel ou tel système de pensée, à tel ou tel enseignement d'un Maître vénéré. Stop. Erreur. C'est en marchant seul dans la nuit, mais protégé invisiblement, qu'il doit se construire...

Le guide qui est le vôtre – qui n'est pas un guide personnel mais qui est celui du rayon énergétique auquel vous appartenez – veillera de façon plus précise si vous faites des efforts. Il se dira : « Tiens, celui-là essaie d'élever sa nature inférieure en nature supérieure. Il faut l'assister davantage : envoyons-lui davantage d'intuition, ce qui va lui permettre un meilleur discernement. » Ou : « Mettons-le en présence de telle ou telle personne utile qui lui apprendra telle chose, afin de mieux discerner. » Ou : « Allons le promener dans tel ou tel endroit ou telle librairie, pour qu'il achète tel livre, afin qu'il apprenne la sagesse. » Ou bien : « Mettons-le dans telle épreuve afin qu'il se dépouille de son illusion ou de son traumatisme, ou de son complexe acquis dans l'enfance... afin qu'il les dépasse. »

Et chaque fois qu'il fait un pas, les guides qui l'entourent regardent si le pas est bon et le soutiennent, mais ils ne vont pas lui dire : « Fais tel pas. »

Quand un être humain fait un effort, quand il essaie un petit peu de se prendre en main, de devenir indépendant face aux jeux malsains du monde et des autres, automatiquement toute la conscience des Guides, des Maîtres, se concentre sur cet individu et ils vont essayer de l'enrichir, exactement comme un jardinier se concentre sur une fleur qui paraît devoir devenir belle et qu'il entoure de tous ses soins en lui donnant de l'eau, du soleil... S'il voit que la plante pousse tordue, fait grise mine, est pleine de mauvaise volonté, le jardinier va essayer de la rattraper, mais si finalement la plante reste dans cet état, il doit l'arracher.

L'homme est trop aveugle pour voir qu'il est aidé.

Les Maîtres exercent aussi leur protection dans les cas extrêmes, quoi que l'on en pense. Si, par exemple, il devait arriver une grande catastrophe et que cela menace le Plan pour l'humanité, soyez certains que tout serait stoppé d'une façon qui resterait incompréhensible et imperceptible pour la plupart d'entre vous.

Si l'action néfaste générée par les hommes ne menace pas le Plan voulu pour l'humanité, si ses effets sont susceptibles d'être oubliés, effacés au fil du temps, même si elle provoque beaucoup de morts, alors les Maîtres n'interviennent pas. Par contre, ils vont préparer, investir, inspirer un certain nombre d'individus pour abréger la situation ou atténuer l'événement. Les hommes sont responsables : ils ont le choix. Mais à moins que la chose générée ne risque de provoquer une véritable destruction de l'humanité, les Maîtres n'interviennent pas. Et quand ils interviennent à ce stade, l'homme craint l'intervention bien plus qu'il ne s'en réjouit. Parce que quand les hommes par leur inconséquence obligent les Maîtres à intervenir ainsi, ce n'est pas seulement pour les préserver : en même temps, immanquablement, ils appellent le jugement sur eux. Automatiquement, ceux qui ont généré la chose se trouvent jugés. Sitôt que vous appelez un Maître pour vous protéger, sachez qu'en même temps, vous appelez un juge. Car quand l'homme s'est mis dans une certaine situation, c'est parce qu'il a fait ou parce qu'il n'a pas fait certaines choses. Le Maître est aussi l'Instructeur et il va mettre l'homme qui fait appel à lui face à ses manquements et à sa part de responsabilité dans ce qui lui arrive. Or, la plupart du temps, l'homme préférerait mourir plutôt qu'affronter cette vérité-là.

Avec l'autorisation de l'Association POSEID.

Remerciements

Merci à Thomas. Merci à Jacques et Sylvie. Merci à mes amies F ., D., et Léna. Merci à Marco et Jean-Noël.

Merci pour sa gentillesse, sa patience et son efficacité à tout le personnel soignant de l'hôpital et de la clinique où j'ai été si bien traitée dans tous les sens du terme.

Merci à tous mes médecins, avec une mention spéciale pour mon hématologue-oncologue.

Merci à tout le monde et merci au ciel...

12080

Composition
NORD COMPO

Achevé d'imprimer en Espagne
par CPI (Barcelone)
le 14 février 2018.

Dépôt légal : mars 2018.
EAN 9782290152089
OTP L21EPLN002269N001

ÉDITIONS J'AI LU
87, quai Panhard-et-Levassor, 75013 Paris

Diffusion France et étranger : Flammarion